BRAVISSIMO! 3

EDIZIONI
C
casa delle lingue

" E come tutte le più belle cose
vivesti solo un giorno come le rose. **"**

Fabrizio De André (1940 - 1999),
La canzone di Marinella

BRAVISSIMO! 3

Marilisa Birello

Albert Vilagrasa

1. PREMESSA

Bravissimo! è un corso d'italiano per stranieri basato sull'apprendimento orientato all'azione, che il QCER (Quadro Comune Europeo di Riferimento per le lingue) definisce in questo modo:

«L'approccio adottato qui è, in termini generali, orientato all'azione, nel senso che considera le persone che usano e apprendono una lingua innanzitutto come "attori sociali", vale a dire come membri di una società che hanno dei compiti (di tipo non solo linguistico) da portare a termine in circostanze date, in un ambiente specifico e all'interno di un determinato campo di azione. Se gli atti linguistici si realizzano all'interno di attività linguistiche, queste d'altra parte si inseriscono in un più ampio contesto sociale, che è l'unico in grado di conferir loro pieno significato» (*Quadro Comune Europeo di Riferimento per le lingue: apprendimento, insegnamento, valutazione*, p. 11).

Le dieci unità di *Bravissimo! 3* sono costruite intorno a un compito finale, proponendo così una "didattica per progetti" per l'italiano lingua seconda (L2)*. Il concetto di "compito" è introdotto seguendo quanto indicato nel QCER:

«si parla di "compiti" in quanto le azioni sono compiute da uno o più individui che usano strategicamente le proprie competenze per raggiungere un determinato risultato» (Idem, p. 11).

Questa evoluzione metodologica può essere riassunta nei tre seguenti aspetti.

1. L'approccio orientato all'azione e l'apprendimento attraverso i compiti

L'approccio orientato all'azione si fonda sull'idea di compito e sulle azioni che i discenti devono portare a termine per arrivare alla sua realizzazione. Il compito (Il nostro progetto) è indicato all'inizio di ogni unità di *Bravissimo!* insieme alle competenze necessarie per poterlo realizzare, cioè le capacità di eseguire una determinata azione in lingua straniera.
Per preparare lo studente in maniera più efficace e cosciente al compito finale vengono proposti, all'interno dell'unità, dei "compitini" (azioni intermedie) che facilitano lo sviluppo di quelle competenze di cui avrà bisogno per la realizzazione del compito previsto.

2. Un insegnamento centrato sullo studente

Uno dei cambiamenti più importanti apparsi nel QCER consiste nel considerare gli apprendenti come degli attori sociali. In questa prospettiva gli studenti sono coinvolti in un proget-to comune che richiede l'impiego di strategie di comunicazione e apprendimento, mettendo in gioco aspetti interculturali che favoriscono lo sviluppo della competenza di mediazione. L'approccio orientato all'azione rende lo studente protagonista del proprio apprendimento e tiene presente i suoi bisogni e le sue competenze nella realizzazione delle attività. In questa linea, partendo dalla propria identità ed esprimendosi secondo i propri criteri, l'apprendente sviluppa in modo naturale le competenze comunicative nella lingua obiettivo.

3. Dei processi autentici di comunicazione

Questa visione dello studente, considerato non più come semplice ricettore ma come attore, è uno dei punti basilari su cui si fonda *Bravissimo!* che presenta delle situazioni di apprendimento / insegnamento che tengono conto al tempo stesso dei bisogni e delle caratteristiche degli apprendenti e delle risorse disponibili. A questo fine si richiede al discente di reagire come se si trovasse in una situazione comunicativa autentica fuori dall'aula. La comunicazione che si stabilisce durante l'esecuzione del compito è autentica e l'aula – questo spazio condiviso con lo scopo di imparare (e usare) una lingua – diventa il luogo in cui vivere delle esperienze comunicative ricche e reali come quelle che si vivono al di fuori.

Gli autori e Casa delle Lingue

*Con "italiano L2" si fa riferimento all'italiano insegnato e appreso come lingua non materna, tanto in una situazione in contesto (in Italia) che fuori contesto (all'estero).

2. INTRODUZIONE

Bravissimo! è un corso d'italiano per stranieri rivolto a giovani e adulti.
Si compone di dieci unità ognuna delle quali è suddivisa in sette sezioni:

1. PRIMO CONTATTO

- I documenti presentati propongono un primo contatto con certi aspetti della realtà italiana.
- Lo studente entra in contatto con le parole e le espressioni utili per parlare di questa realtà.
- Si avvicina alla lingua italiana in modo intuitivo e attivando per quanto possibile le sue conoscenze pregresse.

2. TESTI E CONTESTI

- Attraverso testi orali e scritti, fotografie o illustrazioni, l'apprendente è stimolato a reagire e a interagire con i compagni.
- I documenti proposti (orali, scritti o iconici) permettono allo studente di sviluppare e migliorare le competenze e le strategie di comprensione.
- Lo studente familiarizza con una serie di risorse linguistiche (lessicali, grammaticali, testuali...) necessarie per la realizzazione del compito, che è l'obiettivo dell'unità.

3. ALLA SCOPERTA DELLA LINGUA

- L'apprendente osserva delle produzioni che evidenziano una particolare risorsa linguistica (grammaticale, lessicale, funzionale...).
- Successivamente cerca di capire il funzionamento di questa risorsa e di costruire una regola. Questo lavoro viene svolto in collaborazione con i compagni o con l'insegnante.
- Quindi lo studente applica questa regola nelle sue produzioni personali.
- Tale sequenza di osservazioni, oltre alla comprensione e all'applicazione, favorisce l'autonomia dello studente.

4. QUALCOSA IN PIÙ

Attraverso dei documenti di varia tipologia si forniscono allo studente dei contenuti che ampliano aspetti lessicali e socioculturali legati ai temi trattati nell'unità e che possono essere utili per approfondire le proprie conoscenze.

5. RISORSE E UN PO' DI ALLENAMENTO

- Si propone una concettualizzazione delle risorse dell'unità che serve per verificare e ridefinire le regole che l'apprendente ha costruito.

- Le spiegazioni grammaticali, trattate in modo più ampio e classificate per categorie linguistiche, si trovano anche nel riepilogo grammaticale alla fine del manuale.
- Grazie allo strumento della "mappa mentale" si propongono delle attività per riprendere i contenuti lessicali che gli studenti devono costruire a partire dai propri bisogni.
- **Suoni e lettere** propone delle attività per lavorare sulla fonetica e sull'intonazione dell'italiano.

6. IN AZIONE E... IL COMPITO!

- Attività orali e scritte più complesse che raccolgono i contenuti su cui si è lavorato fino a questo momento. Preparano lo studente in modo più specifico per eseguire il compito finale.
- Per realizzare il compito finale, allo studente è richiesto, attraverso un lavoro in collaborazione con altri studenti, di mettere in moto tutte le conoscenze, le strategie e le risorse di cui dispone.
- Il compito attiva la comprensione, l'interazione e la produzione.

7. AL DI LÀ DELLA LINGUA

I documenti contenuti in questa sezione apportano una visione autentica della realtà italiana e aiutano a capire meglio alcuni aspetti culturali e sociali dell'Italia.

PROVE UFFICIALI

Ogni due / tre unità si propongono due pagine dedicate alle certificazioni ufficiali di livello B1 con delle attività volte alla preparazione di diversi esami di lingua italiana. Si forniscono degli esempi delle varie tipologie di prove contenute in questi esami e si danno dei consigli utili.

DIARIO D'APPRENDIMENTO

Ogni due / tre unità si presenta il Diario di apprendimento che permette allo studente di valutare le proprie conoscenze e le competenze acquisite nelle unità di riferimento e di riflettere sull'evoluzione del proprio apprendimento.

STRUTTURA DEL LIBRO DELLO STUDENTE

LE PAGINE DI APERTURA DELL'UNITÀ:
per entrare in contatto e osservare

Il compito finale sul quale è incentrata l'unità.

I temi e le risorse trattati nell'unità e utilizzati per realizzare il compito.

Le competenze sviluppate nel corso dell'unità.

TESTI E CONTESTI:
per familiarizzare e interagire con i compagni

L'attività è accompagnata da un documento audio. L'attività sviluppa la comprensione orale.

Strategie per apprendere e agire in maniera efficace.

L'attività sviluppa l'interazione orale.

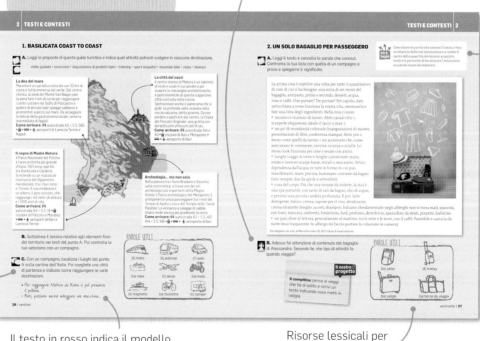

Il testo in rosso indica il modello di lingua per le produzioni orali.

Risorse lessicali per la produzione.

ALLA SCOPERTA DELLA LINGUA:
per osservare, scoprire e comprendere

L'attività sviluppa la produzione orale.

Attività intermedia di allenamento e preparazione al compito finale.

L'attività sviluppa la comprensione scritta.

Attività di osservazione della lingua.

Notizie, curiosità, informazioni sulla cultura italiana.

QUALCOSA IN PIÙ:
per approfondire e ampliare le proprie conoscenze

RISORSE E UN PO' DI ALLENAMENTO:
per sistematizzare le proprie risorse

Attività per organizzare il lessico trattato nell'unità.

Attività per praticare la pronuncia e l'intonazione.

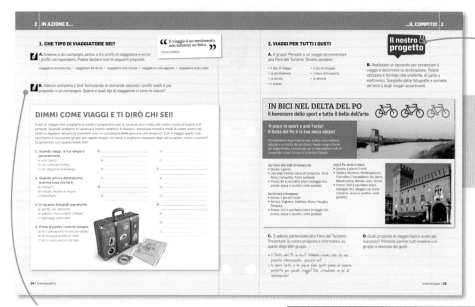

IN AZIONE E...
...IL COMPITO!:
per mettere alla prova le proprie conoscenze e realizzare un progetto con i compagni

L'attività sviluppa la produzione scritta.

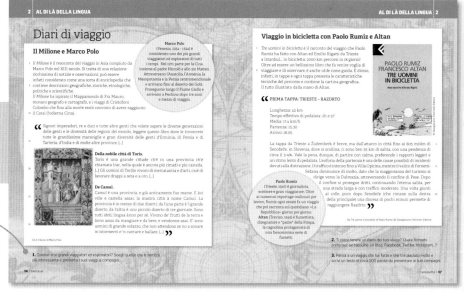

AL DI LÀ DELLA LINGUA:
per conoscere e scoprire la cultura italiana e compararla con la propria

Attività che sviluppa la competenza interculturale.

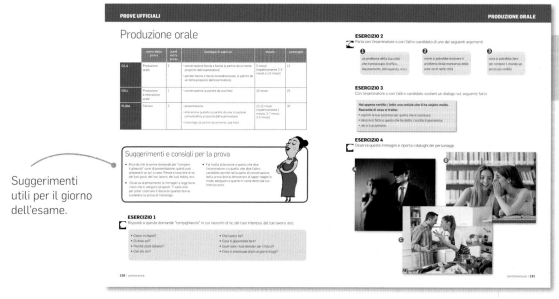

PROVE UFFICIALI:
per allenarsi per le prove ufficiali

Suggerimenti utili per il giorno dell'esame.

Il marchio che segnala il compito finale.

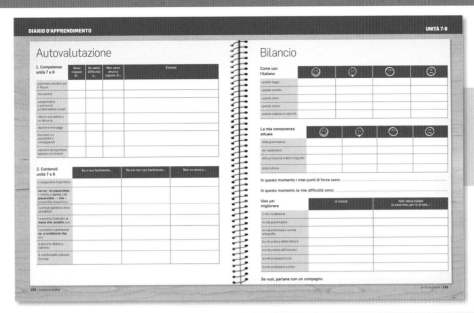

DIARIO D'APPRENDIMENTO:
per fare il bilancio delle proprie conoscenze e competenze

FESTE:
per conoscere meglio la cultura e le tradizioni italiane e compararle con quelle del proprio paese

La scheda di presentazione dei territori trattati con dati generali e particolarità.

GIRO D'ITALIA:
per conoscere il patrimonio naturale italiano viaggiando attraverso le sue bellezze

Una citazione di un personaggio rilevante o di un'opera significativa legati al territorio.

1
CHI TROVA UN AMICO...

Il nostro progetto

Organizzare lo speed date della classe.

STRUMENTI PER IL NOSTRO PROGETTO:

I temi: le relazioni sociali e i rapporti con gli altri; le reti sociali; il carattere degli animali; i luoghi d'incontro in Italia.

Le risorse linguistiche: il trapassato prossimo; il congiuntivo presente (I); indicativo / congiuntivo (I); i pronomi relativi (I); alcuni verbi pronominali; nomi e aggettivi alterati (I).

Le competenze:

comprendere testi divulgativi e letterari per estrapolarne i punti fondamentali; reperire informazioni relative alla personalità.

riconoscere problematiche tra genitori e figli e informazioni sullo speed date; comprendere racconti sull'amicizia e informazioni su gusti e preferenze nelle relazioni.

esprimere opinioni sulle reti sociali; raccontare esperienze relative ai rapporti tra genitori e figli e all'amicizia.

discutere ed esprimere opinioni su rapporti e relazioni personali.

riassumere i punti fondamentali di un testo divulgativo; scrivere dei tweet.

RETI SOCIALI

A. Leggi la lista e indica, con ordine decrescente, il grado di relazione che esprime ogni opzione, secondo te.

- ( ) amico intimo
- ( ) amico di famiglia
- ( ) collega
- ( ) amico di amici
- ( ) sconosciuto

- ( ) amico
- ( ) compagno
- ( ) conoscente
- ( ) amico d'infanzia
- ( ) amico del cuore

B. In che modo fai nuove amicizie?

- [ ] attraverso conoscenze
- [ ] all'università
- [ ] in palestra
- [ ] quando esco

- [ ] al lavoro
- [ ] a scuola
- [ ] al corso d'italiano
- [ ] altro

> **Gli amici sono buoni in ogni piazza**
> Proverbio italiano

1. CARO AMICO, TI SCRIVO

A. Secondo te, quali sono i vantaggi e gli svantaggi dell'uso delle reti sociali? Sei d'accordo con questo articolo?

Amici di Facebook... da record. Però quelli veri sono (solo) due

di Maria Laura Rodotà

Leggere le conclusioni del TESS (Time-sharing Experiments for the Social Sciences, un programma che studia e analizza i rapporti sociali) fa sentire un po' soli. Di tutti i contatti di Facebook, dei colleghi, degli amici con cui si va periodicamente a cena, degli amici di amici, dei compagni di calcetto o di aperitivo, gli amici veri restano due o tre. Anzi, se ne abbiamo quattro-cinque siamo fortunati.

Così, mentre il social network online si amplia, creando nuovi comportamenti, la rete di contatti reali si restringe, rendendoci "potenzialmente più vulnerabili", secondo Matthew Brashears della Cornell University. Insomma, quando ci vorrebbe un amico, la maggioranza non lo trova. Il 48% dei 2000 intervistati negli ultimi sei mesi ha discusso di argomenti personali importanti con un amico, il 18% con due, il 29% con più di due. La media è perciò di 2,03 confidenti a persona perché, secondo Brashears, "tendiamo a giudicare un numero minore dei nostri contatti come adatto a conversazioni importanti" e intime.

Probabilmente perché vediamo meno gente, e meno spesso, di persona. E così è più difficile aprirsi e fidarsi. Anche perché in molti sono rimasti scottati dal cattivo uso dei social networks: c'è chi ha raccontato troppe cose personali nel suo status, chi ha litigato sulle bacheche degli altri, chi ha diffuso dati sensibili e provocato guai. Però con il tempo la maggioranza ha imparato a stare attenta: a diffidare di chi si conosce poco, a evitare gli amici provocatori. E a parlare di cose importanti solo faccia a faccia, o via messaggi privati. Insomma il numero di Dumbar (dal nome dell'antropologo di Oxford che l'ha formulato) è realistico: un individuo non riesce a mantenere relazioni stabili con più di 150 persone.

E tra i 150 ci sono gli amici con cui si prende un caffè ogni due mesi, i cugini che si vedono a Natale e moltissime persone antipatiche. Stringi stringi, alla fine gli amici veri sono pochi.

Chiacchiere non-stop sui social network ma, "quando serve un amico" con quanti vi confidate?

message boards

trouble mischief

PAROLE UTILI

isolamento ≠ integrazione
avvicinamento ≠ distacco
intimità ≠ freddezza
profondità ≠ superficialità
fiducia ≠ sfiducia
sincerità ≠ falsità

strategie

Per esprimere un'opinione ti sono utili connettivi che introducono: una conseguenza (*perciò*), una situazione opposta (*però*), una conclusione (*insomma*) o che rinforzano un'idea (*anzi*).

Il nostro progetto

Il compitino: come gestite le vostre amicizie? Fate uso delle reti sociali? Parlatene in gruppo e poi fate la classifica dei canali di socializzazione più usati.

Testo adattato da: Amici di Facebook...da record. Però quelli veri sono (solo) due, di Maria Laura Rodotà (27esimaora.corriere.it)

B. Adesso scrivi l'idea principale espressa nell'articolo e poi confrontala con un compagno.

H.W. 22. 9. 20.

2. COSÌ VICINI, MA COSÌ LONTANI

www.niccoloammaniti.it

 A. Leggi la trama di questo romanzo. Come immagini i protagonisti? Indica quali aggettivi li definiscono meglio secondo te.

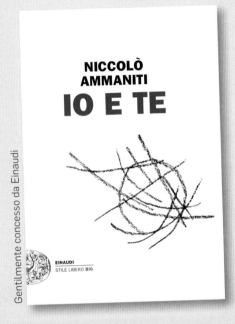

Gentilmente concesso da Einaudi

Barricato in cantina per trascorrere di nascosto da tutti la sua settimana bianca, Lorenzo si prepara a vivere il suo sogno di felicità: niente conflitti, niente fastidiosi compagni di scuola, niente commedie e finzioni.
Il mondo con le sue regole incomprensibili fuori della porta. Sarà Olivia, con la sua ruvida e cagionevole vitalità, a far varcare a Lorenzo la linea d'ombra, a fargli gettare la maschera di adolescente difficile e accettare il gioco caotico della vita là fuori.

- ◦ egoista
- ☐ introverso/a
- ✓ entusiasta
- ☐ sensibile
- ☐ pessimista
- ☐ chiuso/a
- ☐ socievole
- ☐ estroverso/a
- ☐ insicuro/a
- ☐ sereno/a
- ☐ difficile
- ☐ aperto/a
- ☐ asociale
- ✓ ottimista
- ☐ equilibrato/a
- ☐ scontroso/a

stra tegie

Ricorda che non è fondamentale conoscere tutte le parole per comprendere il significato di un testo. Fai una lettura mirata, cioè in base allo scopo.

 B. Secondo te, la solitudine e l'isolamento sono un problema della società di oggi? Le nuove dinamiche che regolano i rapporti personali aiutano a combatterli o li potenziano?

- • Secondo me oggi è più facile combattere la solitudine: ci sono tanti modi per stare con gli altri.
- ☐ Sì, ma molto spesso si tratta di rapporti superficiali...

3. AMOR SENZA BARUFFA FA LA MUFFA

 A. Osserva la locandina del film di Giovanni Veronesi: secondo te quale tematica tratta?

B. Adesso ascolta la conversazione tra Martina e i suoi genitori e indica a quali delle seguenti problematiche si riferiscono.

traccia 01

Gli adolescenti non rispettano le regole.	
Gli adolescenti non vogliono crescere.	
I genitori limitano la libertà dei figli.	
Gli adolescenti non hanno fiducia nei loro genitori.	
Gli adolescenti non parlano con nessuno.	
Gli adolescenti vorrebbero parlare di più con i genitori.	
Gli adolescenti cambiano spesso umore.	
I genitori si preoccupano solo del rendimento scolastico.	

C. Qual è la tua esperienza di rapporto genitori-figli adolescenti?

- • Io litigavo sempre con i miei genitori perché mi controllavano troppo...
- ☐ Io sono fortunata: mio figlio è molto comunicativo e mi racconta tutto.

1. È LA PERSONA CHE...

 A. Leggi queste frasi e scegli tre caratteristiche che secondo te deve avere il vero amico. Anche il tuo compagno la pensa così?

> È la persona di cui ti puoi fidare ciecamente.

> È la persona che ti dice sempre le cose in faccia.

> È la persona a cui puoi dire tutto.

> È la persona con cui puoi parlare sinceramente.

> È la persona da cui accetti anche le critiche più dure.

> È la persona che ti conosce e ti capisce benissimo.

> È la persona per cui vale la pena fare sacrifici.

> È la persona in cui credere.

 B. Osserva di nuovo le frasi del punto A e completa il quadro con i pronomi relativi. C'è qualcosa che ti sorprende?

> Un vero amico è la persona *che* non ti tradisce mai.
>
> Un buon confidente è la persona a *cui* dici tutto.
>
> Un/a buon/a compagno/a è la persona .... si preoccupa per te.
>
> Un conoscente è la persona .... uscire ogni tanto.

2. AMICI PER LA PELLE

 A. Sul blog di Radio Emozione alcuni ascoltatori hanno lasciato le loro testimonianze. Secondo te hanno mantenuto le loro amicizie?

 B. Adesso ascolta come proseguono le loro storie. Confermi le tue ipotesi?

traccia 02

 C. Rileggi i testi e prova a dire quale azione è anteriore all'altra. Osserva il tempo verbale utilizzato.

AZIONE POSTERIORE	AZIONE ANTERIORE
ho rincontrato suo fratello	che avevo conosciuto tanti anni prima
ho visto l'annuncio	....
	....
quando mi sono iscritta	....
	....

 D. E tu hai un/a migliore amico/a? Racconta come e quando l'hai conosciuto/a.

www.radioemozione.blog.it

radio emozione

UN AMICO È PER SEMPRE

Michela
La mia migliore amica si chiamava Laura. Siamo state in classe insieme dalla terza media in poi, ma dopo il liceo ci siamo allontanate. Quando sono andata a Boston con una borsa di studio, ho rincontrato suo fratello, che avevo conosciuto tanti anni prima e di cui mi ero innamorata a 13 anni.

Giacomo
Ho conosciuto Luciano quando sono andato a studiare a Bologna. Stavo cercando una camera e ho visto l'annuncio che aveva messo nella bacheca della facoltà. Tra di noi c'è stata subito una grande intesa.

Tina
Quando mi sono iscritta al gruppo di teatro, la mia grande amica Maria aveva già recitato in qualche spettacolo... Mi ha sempre aiutato tantissimo e non solo a teatro. A lei raccontavo tutto.

3. NON SOPPORTO...

 A. Leggi le preferenze che questi tre uomini hanno pubblicato su un sito di incontri per single e poi ascolta cosa dice Alessia. Con chi farebbe una bella coppia?

traccia 03

Carlo

Sono molto sincero e non tollero le persone che dicono le bugie.
Detesto che la mia compagna decida per tutti e due.
Non sopporto che le ragazze siano gelose... mi piace che la mia compagna vada d'accordo con le mie ex.

Lorenzo

Adoro le ragazze che hanno senso dell'umorismo... non sopporto le persone che si offendono per niente!
Detesto che la mia compagna dipenda sempre da me, mi piacciono le persone indipendenti.

Domenico

Non tollero le persone che ti cercano solo per interesse.
Non mi piace tanto che la mia compagna abbia amici uomini e detesto che guadagni più di me... mi fa sentire a disagio.
Mi piace che le ragazze si vestano eleganti.

 B. Nei testi del punto A compare un nuovo tempo e modo verbale: il congiuntivo presente. Individua le forme e indica l'infinito corrispondente.

 C. Adesso completa il quadro secondo il modello e poi prova a formulare la regola.

INDICATIVO PRESENTE	CONGIUNTIVO PRESENTE
Non tollero le persone che dicono le bugie.	Detesto che la mia compagna decida per tutti e due.

Il nostro progetto

Il compitino: quali sono le cose che non ti piacciono o che proprio non sopporti nelle altre persone? Fai un breve elenco sul modello dei testi del punto A.

curiosità

Il termine inglese single *si utilizza ormai comunemente per riferirsi a chi non ha un legame sentimentale. I termini italiani* celibe *(per l'uomo) e* nubile *(per la donna) fanno riferimento allo stato civile, e cioè al fatto che una persona sia sposata o meno. Nella lingua colloquiale si usa* scapolo *per gli uomini e* zitella *per le donne, che però ha una connotazione negativa.*

4. AMICI A QUATTRO ZAMPE

 A. Sei un esperto in razze canine? Leggi i commenti dei tre padroni e abbinali alla razze corrispondenti.

> Ugo ha un aspetto da cagnaccio, ma non è per niente aggressivo. Anzi è un bonaccione e adora stare con i bambini. È anche un bel pigrone: adora guardare la TV sul divano!

> Gino è un cagnolino molto attivo e giocherellone. È proprio un furbetto ed è adorabile con quelle orecchie lunghe!

> Leo adesso è un cagnone fiero e indipendente, ma è anche un coccolone... e comunque per me rimane sempre la mia palletta di pelo!

pastore maremmano-abruzzese

mastino napoletano

spinone italiano

B. Rileggi attentamente i testi del punto A e completa il quadro seguendo l'esempio.

cagnolino — cane grosso e brutto
coccolone — piccola palla
furbetto — buono e mite *mild.*
pigrone — che ama giocare
cagnaccio — furbo e malizioso
bonaccione — cane piccolo
cagnone — molto affettuoso
giocherellone — cane grosso
palletta — che è molto pigro

C. Adesso osserva le terminazioni delle parole del quadro del punto B: sai dire che valore hanno?

PEGGIORATIVO	ACCRESCITIVO	DIMINUTIVO
cagnaccio	cagnone	...ino
		etto.

5. CHI È L'ANIMALE?

 A. Leggi i seguenti tweet. Con quali sei d'accordo?

 Gio
Nessuno pensa mai agli animali e le istituzioni se ne fregano dei loro diritti. È una vergogna!

 Nico
I canili hanno pochissimi mezzi: senza donazioni non ce la fanno ad andare avanti, aiutiamoli!

 Mila
Bisogna smetterla con gli esperimenti sugli animali! Basta con le torture!

 Vale
Abbandonare gli animali è un atto incivile! Da soli non se la cavano: è una condanna a morte!

 B. Rileggi i tweet e cerca l'equivalente delle seguenti espressioni.

finire di fare qualcosa → smetterla

dimostrano indifferenza → ....

non superano una situazione difficile → ....

non riescono a fare qualcosa → ....

 C. Adesso scrivi tre tweet utilizzando le espressioni che hai trovato nel punto B.

1. SEI UNA VOLPE!

A. Osserva le seguenti vignette e indica quale aggettivo è più adatto per ciascuna. Nella tua lingua esistono espressioni simili?

ignorante

lento/a

vanitoso/a   timido/a

1 — Luigina, saluta! Non fare l'orso!

2 — Dai, sbrigati! Sei proprio una lumaca!

3 — Ma guardalo... è proprio un pavone!

4 — Un altro 3... Ma sei un vero asino!

donkey.

B. A quali animali associ le seguenti caratteristiche? Aiutati con il dizionario.

furbizia: ....

codardia: ....

laboriosità: ....

fedeltà: ....

eleganza: ....

bontà: ....

coraggio: ....

intelligenza: ....

PAROLE UTILI

(l') elefante   (il) leone

(il) cavallo   (la) tigre

(il) coniglio   (la) formica

(la) mucca   (l') agnello

(il) lupo   (il) delfino

(la) volpe   (la) tartaruga

2. LA MUCCA FA...

C Che verso fanno questi animali? Nella tua lingua è molto diverso?

BEEEE!   PIO PIO!

BAU BAU!   MIAO!

CHICCHIRICHÌ!   COCCODÈ!

cane

gatto

gallina

gallo

pecora

pulcino

IL TRAPASSATO PROSSIMO

AUSILIARE AVERE O ESSERE ALL'IMPERFETTO	+	PARTICIPIO PASSATO
avevo avevi aveva avevamo avevate avevano		studiat**o**
ero eri era eravamo eravate erano		andat**o/a** andat**i/e**

Si usa per esprimere un'azione passata anteriore a un'altra. Spesso il trapassato prossimo è accompagnato da avverbi di tempo come **già**, **mai**, **prima**, **ancora**, **appena**, ecc.

*Ieri pomeriggio mi sono sentito male perché **avevo mangiato** troppo a pranzo.*
*Sono tornata a casa perché **avevo dimenticato** il cellulare.*
*Quando sono arrivato a casa, Piero **era già andato via**.*
*Quando mi hai telefonato, **mi ero appena svegliata**.*

IL CONGIUNTIVO PRESENTE

PARLARE	PRENDERE	PARTIRE	CAPIRE
parli	prenda	parta	capisca
parli	prenda	parta	capisca
parli	prenda	parta	capisca
parliamo	prendiamo	partiamo	capiamo
parliate	prendiate	partiate	capiate
parlino	prendano	partano	capiscano

Per distinguere le forme delle tre persone singolari spesso si aggiungono i pronomi personali soggetto. La forma della 1ª persona del plurale è uguale alla forma del presente indicativo.

ESSERE	AVERE	STARE	ANDARE
sia	abbia	stia	vada
sia	abbia	stia	vada
sia	abbia	stia	vada
siamo	abbiamo	stiamo	andiamo
siate	abbiate	stiate	andiate
siano	abbiano	stiano	vadano

fare: faccia, faccia, faccia, facciamo, facciate, facciano
dire: dica, dica, dica, diciamo, diciate, dicano
bere: beva, beva, beva, beviamo, beviate, bevano
volere: voglia, voglia, voglia, vogliamo, vogliate, vogliano
venire: venga, venga, venga, veniamo, veniate, vengano
uscire: esca, esca, esca, usciamo, usciate, escano

Il congiuntivo presente si usa in frasi secondarie introdotte da verbi come *tollerare, odiare, sopportare, piacere, detestare*, ecc. Il soggetto della frase secondaria in cui usiamo il congiuntivo è diverso da quello della principale:
*(io) Detesto che i miei colleghi **siano** egoisti.*
*(noi) Non sopportiamo che la gente **parli** alle spalle.*
*A Lucia piace che i suoi figli **vadano** a letto presto.*

LE PROPOSIZIONI SUBORDINATE

frase principale + oggetto + **che relativo** + **indicativo**
*Non sopporto le persone che **parlano** a voce alta.*
*Odio le persone che **abbandonano** gli animali.*

frase principale + **che congiunzione** + frase con **congiuntivo**
*Non sopporto che le persone **parlino** a voce alta.*
*Odio che le persone **abbandonino** gli animali.*

I PRONOMI RELATIVI

CHE
Si usa come soggetto e complemento diretto ed è invariabile in genere e numero.

L'amico vero è la persona **che** *ti dice la verità.* (soggetto)
Il ragazzo **che** *ho conosciuto oggi è simpatico.* (oggetto)

 Che e **cui** possono riferirsi a persone, animali e oggetti.

CUI
Si usa come complemento indiretto, è preceduto da una preposizione ed è invariabile in genere e numero.

L'amico vero è la persona **con cui** *puoi parlare di tutto.*
Ho visto il ragazzo **a cui** *hai affittato la camera.*
Paola è la ragazza **di cui** *ti ho parlato ieri.*

ALCUNI VERBI PRONOMINALI

CAVARSELA	FARCELA	FREGARSENE	SMETTERLA
me la cavo	ce la faccio	me ne frego	la smetto
te la cavi	ce la fai	te ne freghi	la smetti
se la cava	ce la fa	se ne frega	la smette
ce la caviamo	ce la facciamo	ce ne freghiamo	la smettiamo
ve la cavate	ce la fate	ve ne fregate	la smettete
se la cavano	ce la fanno	se ne fregano	la smettono

 Alcuni verbi assumono un significato diverso quando sono accompagnati da un pronome.
lo faccio = compio un'azione
lo ce la faccio = sono in grado di compiere un'azione

I NOMI E GLI AGGETTIVI ALTERATI

È possibile aggiungere dei suffissi ai nomi e agli aggettivi per alterarne il significato: quantità, qualità, giudizio del parlante.
-ino e **-etto**: alterati diminutivi (*gatto - gattino; coniglio - coniglietto; bello - bellino*)
-one: alterato accrescitivo (*gatto - gattone; pigro- pigrone*)
-accio: alterato peggiorativo (*cane - cagnaccio; ragazzo - ragazzaccio; avaro - avaraccio*)

Suoni e lettere

A. Leggi le seguenti frasi ad alta voce: quali parole marchi di più?

1. Dobbiamo sostenere i canili municipali. Senza il nostro aiuto non ce la fanno.
2. Michelino, smettila di dare fastidio al gatto! Non vedi che dorme?
3. Abbandonare gli animali è un atto incivile!
4. Mio marito è un pigrone! Passerebbe il fine settimana sul divano...
5. L'amico vero è la persona che ti sta sempre vicino.
6. Io non sopporto le persone che se ne fregano di tutto.
7. La mia nipotina è dolcissima, una vera coccolona!
8. Quando mi hai mandato il messaggio ero appena arrivata.

NON TOLLERO CHE LA GENTE FACCIA CONFUSIONE A TEATRO!

B. Adesso ascolta le frasi del punto A e sottolinea le parole che secondo te sono più marcate. Coincide con la tua lettura?

traccia 04

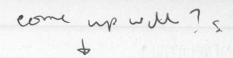

1. LE RELAZIONI (IM)PERFETTE

 A. Fai una lista delle caratteristiche che apprezzi dei tuoi compagni di corso, degli aspetti che ti piacciono o non tolleri della convivenza a lezione.

> Non tollero che i telefonini suonino durante la lezione.
>
> Mi piace che le persone siano disponibili.
>
> Non sopporto le persone che vogliono essere le prime della classe.
>
> ...

 B. Confronta la tua lista con quella di un compagno. Anche lui la pensa così?

- Neanch'io tollero i telefonini! Però non m'importa se qualcuno vuole essere il primo della classe.

C. Adesso pensate positivo e scrivete almeno cinque caratteristiche del compagno di classe ideale. Poi potete appendere un cartello in bacheca.

> IL COMPAGNO DI CLASSE IDEALE:
> - è una persona che dimostra solidarietà e che collabora
> - è una persona con cui poter condividere dubbi e scambiare appunti appunti
> - è una persona a cui si può chiedere una mano
> ...

2. INCONTRI A TEMPO

 Leggi l'articolo e poi ascolta la registrazione. Indica quali informazioni appaiono in entrambi i testi.

 traccia 05

Speed date

Un tempo si chiamavano "appuntamenti al buio," oggi si chiamano "speed date", termine che viene dall'inglese "speed dating" e che potrebbe essere tradotto come "appuntamento veloce" o "incontro rapido". Consiste nell'organizzazione di una serie d'incontri durante i quali i partecipanti dispongono di un tempo limitato per conoscersi. Lo scopo è conoscere nuove persone attraverso una chiacchierata di durata predefinita.

Con lo speed date si possono guardare le persone negli occhi, affidandosi al proprio istinto, alla chimica del primo incontro, all'affinità di pelle. Ad ogni personalità corrisponde un approccio diverso allo spirito della serata, ma ricordate che essere se stessi è la strada migliore per divertirsi e per ottenere risultati...

si parla dell'origine del termine	
si spiega in che cosa consistono gli incontri	
si parla della durata degli incontri	
si spiega qual è l'obiettivo del gioco	
si parla delle domande che si fanno	
si parla dell'opinione degli esperti	

3. LO SPEED DATE DELLA CLASSE

A. Prima di tutto pensa a quali cose ti piacerebbe scoprire dei tuoi compagni. Preparati delle domande da fare per ottenere queste informazioni.

B. Dividetevi in due gruppi: un gruppo rimane seduto e l'altro si sposta. Gestite bene lo spazio della classe per muovervi comodamente e nominate uno o due moderatori.

• Ti piacciono gli animali?
• Qual è la cosa che ti piace di più dei tuoi amici?
• Cosa non tolleri in una relazione?
• Cosa ti dà più fastidio dei tuoi vicini di casa (o coinquilini)?
• Ti piace cucinare?
• Ti piace andare al cinema?

Che cosa ti ha sorpreso più in lockdown?
Ti è piaciuto qualcosa in lockdown?

Qual e il piu bel libro che tu abbia mai letto.
Che cose hai mangiato per colazione

C. Pronti...via! Avete cinque minuti per parlare con ogni compagno. Cercate di fare quante più domande possibili, più chiederete più scoprirete!

D. Chi è la vostra "anima gemella"? Comunicatelo ai vostri compagni giustificando la scelta.

• La mia anima gemella è Martin: tutti e due adoriamo i gatti, non sopportiamo le persone che parlano a voce troppo alta, ci piace che i nostri amici siano sempre sinceri...

L'Italia sociale

Dettaglio di una locanda del XIV secolo

La taverna medievale

1   Nel Medioevo la taverna era un luogo di ritrovo in cui si beveva, si mangiava, si stava insieme e si giocava. Le taverne si trovavano sia nei centri urbani che nei piccoli borghi in campagna,
5   ubicate vicino ai mercati, in prossimità di ponti e strade e nei porti, di fatto in tutti i posti in cui c'era passaggio di persone. Le taverne erano sorvegliate dalle autorità, dovevano rispettare degli orari e osservare dei divieti: erano vietati i giochi d'azzardo,
10   la pratica del ballo e della prostituzione e dovevano rimanere chiuse di notte. Nonostante ciò, era molto diffuso il gioco dei dadi. Erano frequentate da ogni tipo di pubblico, dai contadini agli studenti. I contadini si ritrovavano nelle taverne nei giorni
15   di festa per conversare e scambiarsi notizie e gli studenti molto spesso le preferivano allo studio.

L'interno di un'osteria di Roma (XIX sec.) ritratto dal pittore danese Carl Heinrich Bloch

Le osterie

1   Le osterie sono nate come punti di ristoro nei luoghi di passaggio e di commercio, come mercati, piazze, strade e incroci, e sono poi diventate anche luoghi d'incontro e di
5   ritrovo. Difatti l'origine della parola osteria (dal latino *hospitem*) rimanda al concetto di ospitalità e accoglienza. Il vino rappresentava l'elemento fondamentale a cui si aggiungevano il cibo, le camere da letto e la prostituzione.
10   Dal XV secolo a Bologna le osterie sono diventate sempre più numerose e hanno ricoperto un ruolo di aggregazione sociale molto importante per aver favorito non solo l'incontro tra persone, ma anche lo scambio d'idee.
15   Fino alla prima metà del Novecento hanno rappresentato uno dei luoghi di ritrovo serale più popolari, frequentato soprattutto da un pubblico maschile. Nel corso degli ultimi anni le osterie stanno recuperando la loro funzione
20   sociale e vivono una nuova epoca di fortuna.

La corte di Ludovico III in un affresco del Mantegna (XV sec.)

Le corti del Rinascimento

La corte, oltre ad ospitare il signore e la sua famiglia, era il luogo in cui nascevano e si sviluppavano relazioni personali e politiche. Aveva quindi una doppia funzione, quella più intima e domestica, costituita dalla residenza privata, e quella più pubblica e sociale, rappresentata da tutti quei personaggi che si riunivano attorno al signore: politici, artisti, intellettuali. La corte era il luogo in cui si creava e si consolidava il consenso, di cui il fasto e le feste erano una manifestazione concreta. Qui, tra un evento mondano e l'altro, si prendevano decisioni politiche e si stipulavano alleanze. La corte aveva anche un'importante funzione di promozione culturale: il signore amava, infatti, circondarsi di scrittori, artisti e intellettuali. Si trattava di una relazione basata sul reciproco beneficio: in cambio di protezione e notorietà, gli uomini di cultura garantivano il prestigio della corte.

I caffè

I caffè hanno avuto un ruolo centrale nella vita commerciale e culturale delle più importanti città europee. Anche in Italia sono stati luogo di dibattito politico e letterario e non a caso la più importante rivista dell'Illuminismo italiano si chiamava «Il Caffè». Il Settecento rappresenta un'epoca d'oro per questi locali: infatti è del 1720 il più antico caffè operante in Italia, il Caffè Florian di piazza San Marco a Venezia. Nel 1733 nasceva a Firenze il Caffè Gilli e nel 1760 veniva fondato l'Antico Caffè Greco di Roma. Tra il 1772 e il 1775 aprivano due famosi punti d'incontro tra professori, studenti e intellettuali: il Caffè Pedrocchi a Padova e il Caffè dell'Ussero a Pisa. Importanti punti di ritrovo dell'aristocrazia sono stati il Caffè Quadri di Venezia (1775) e il Caffè Fiorio di Torino (1780). Anche la fine dell'Ottocento e i primi del Novecento rappresentano un'epoca interessante per questi locali. Ne sono un esempio il famoso Caffè Gambrinus di Napoli (1860), che ha da subito riscosso un grande successo presso tutti i ceti sociali, e i celebri Caffè letterari di Trieste, frequentati da personaggi illustri come Svevo, Saba e Joyce.

Il Caffè Greco immortalato dal pittore austriaco Ludwig Passini (XIX sec.)

1. Quali erano i luoghi d'incontro del passato nel tuo paese? Scrivi un testo sul modello di quello proposto a pp. 22-23.

2. Nel tuo paese ci sono locali che hanno una funzione di aggregazione sociale? Parlane con i compagni.

2
SÌ, VIAGGIARE

Realizzare un opuscolo per una proposta di viaggio.

Il nostro progetto

STRUMENTI PER IL NOSTRO PROGETTO:

I temi: i tipi di viaggio; i mezzi di trasporto; le tipologie d'alloggio; il patrimonio culturale e naturale d'Italia; viaggiatori e diari di viaggio.

Le risorse linguistiche: il costrutto passivo; alcuni usi della preposizione **da**; indicativo / congiuntivo (II); intonazione: la frase conclusiva e la frase continuativa.

Le competenze:

comprendere testi turistici che descrivono patrimonio naturale e culturale; comprendere testi autentici sul viaggio.

riconoscere informazioni in resoconti di viaggio; reperire informazioni riguardo a gusti e preferenze sui viaggi; riconoscere e distinguere l'intonazione nelle frasi conclusive e continuative.

parlare di attività da svolgere in viaggio; esprimere preferenze sui tipi di pubblicazione turistica.

mettersi d'accordo sui mezzi di trasporto da utilizzare; discutere sull'utilità di oggetti per differenti tipi di viaggio; esprimere preferenze sul tipo di alloggio.

scrivere appunti per il viaggio; redigere testi di carattere turistico, profili di viaggiatori, diari di viaggio.

ANDARE LONTANO?

A. Secondo te in che parte del mondo si trovano questi luoghi?

B. Ascolta delle persone che li hanno visitati. Confermi le tue ipotesi?

traccia 06

1. ....   4. ....
2. ....   5. ....
3. ....

C. Adesso abbina le seguenti etichette alle fotografie.

Onde e mare di sabbia nella spiaggia di Chia   **2**

Sport e natura tra i canali e le valli del Delta del Po   **3**

Stromboli: il fascino del fuoco e del mare   **1**

Livigno: vivere le Alpi   **5**

La creatività contemporanea al MAXXI di Roma   **4**

1. BASILICATA COAST TO COAST

 A. Leggi le proposte di questa guida turistica e indica quali attività potresti svolgere in ciascuna destinazione.

visite guidate • escursioni • degustazioni di prodotti tipici • trekking • sport acquatici • mountain bike • relax • itinerari *dghr*

La dea del mare

Maratea è un paradiso naturale con 32 km di costa e tutta immersa nel verde. Dal centro storico, ai piedi del Monte San Biagio vale la pena fare 4 km di curve per raggiungere i centri costieri nel Golfo di Policastro e godere di piccole baie spiagge sabbiose e promontori a picco sul mare. Da assaggiare le delizie della gastronomia locale, come la marmellata di fagioli.
Come arrivare: 🚗 autostrada A3 + S.S. 585 • 🚉 • 🚐 • ✈ aeroporti di Lamezia Terme e Napoli

La città dei sassi

Il centro storico di Matera è un labirinto di vicoli e scale in cui perdersi per scoprire le meraviglie architettoniche e gastronomiche di questa suggestiva città costruita nella roccia.
Spettacolare anche il panorama che si gode: la profonda valle scavata nella roccia calcarea, detta gravina. Da non perdere a pochi km dal centro, la Cripta del Peccato Originale, una grotta con dei bellissimi affreschi del IX secolo.
Come arrivare: 🚗 autostrade A14 e A3 • 🚉 stazioni di Bari e Metaponto • 🚐 ✈ aeroporto di Bari

Il regno di Madre Natura

Il Parco Nazionale del Pollino è l'area protetta più grande d'Italia: 1925 kmq ripartiti tra Basilicata e Calabria. Si estende su un massiccio montuoso dell'Appennino meridionale, tra i mari Ionio e Tirreno. Il suo emblema è un albero: il pino loricato, che raggiunge i 40 metri di altezza e i 1000 anni di vita.
Come arrivare: 🚗 autostrada A3 + S.S. 19 • 🚉 stazioni di Policoro e Maratea • 🚐 • ✈ aeroporti di Bari e Lamezia Terme

Archeologia... ma non solo

Nella pianura tra i fiumi Bradano e Basento, sulla costa ionica, si trova uno dei siti archeologici più importanti della Magna Grecia: il Parco archeologico del Metaponto. È un'esperienza unica passeggiare tra i resti del Tempio di Apollo Licio e del Tempio delle Tavole Palatine. La vicinanza a spiagge di sabbia chiara rende ancora più gradevole la visita.
Come arrivare: 🚗 autostrada A3 + S.S. 407, A14 + S.S. 106 • 🚉 • 🚐 • ✈ aeroporto di Bari

plessat

B. Sottolinea il lessico relativo agli elementi fisici del territorio nei testi del punto A. Poi controlla la tua selezione con un compagno.

C. Con un compagno, localizza i luoghi del punto A sulla cartina dell'Italia. Poi scegliete una città di partenza e indicate come raggiungere le varie destinazioni.

- Per raggiungere Matera da Roma si può prendere il pullman.
- Beh, possiamo anche noleggiare una macchina...

PAROLE UTILI

(il) treno • (il) pullman • (l') auto
(la) nave • (l') aereo • (la) moto
(il) traghetto • (la) bicicletta • (il) camper

2. UN SOLO BAGAGLIO PER PASSEGGERO

 A. Leggi il testo e cancella le parole che conosci. Confronta la tua lista con quella di un compagno e prova a spiegarne il significato.

 strategie Cancellare le parole che conosci ti aiuta a fare un bilancio delle tue conoscenze e a renderti conto della quantità del lessico acquisito. Inoltre ti permette di focalizzare l'attenzione su parole nuove da imparare.

La prima cosa è stabilire una volta per tutte il quantitativo di cose di cui si ha bisogno: una sorta di set menù del bagaglio, antipasto, primo e secondo, dessert, acqua, vino e caffè. Due portate? Tre portate? Per capirlo, date un'occhiata a come funziona la vostra vita, smontatela e fate una lista degli ingredienti. Nella mia ci sono:

▸ incontri e riunioni di lavoro. Abiti casual chic + scarpette elegantone, ideale il tacco 5 max 7.

▸ un po' di mondanità culturale (inaugurazioni di mostre, presentazioni di libri, conferenze stampa). Abiti più o meno come quelli da lavoro + un accessorio che, come assicurano le commesse, ravviva: sciarpa o scialle. Lo stesso look funziona per cene e serate con amici.

▸ lunghi viaggi in treno e lunghe camminate: jeans, estate e inverno scarpe basse, stivali o mocassini. Felice dipendenza dall'acqua in tutte le forme in cui può manifestarsi, mare, piscina, hammam: costume da bagno (uno sempre, due da aprile a settembre).

▸ cura del corpo. Più che una trousse da toilette, la mia è una spa portatile, con tanto di sali da bagno, olio di argan, e persino una piccola candela profumata. E poi: latte detergente, tonico, crema, sapone per il viso, deodorante, crema idratante (meglio 24 ore), shampoo, balsamo (fondamentale: negli alberghi non si trova mai), spazzola, eye-liner, mascara, ombretto, fondotinta, fard, profumo, dentifricio, spazzolino da denti, pinzette, forbicine.

▸ un paio d'ore di lettura, generalmente al mattino, tra le sette e le nove, con il caffè. Pantofole e camicia da notte (mai trasparente. In albergo mi faccio portare la colazione in camera).

Da *Viaggiare da sola*, di Maria Perosino (© 2012 Giulio Einaudi editore)

 B. Adesso fai attenzione al contenuto del bagaglio di Alessandra. Secondo te, che tipo di attività fa quando viaggia?

traccia 07

 Il nostro progetto

Il compitino: pensa ai viaggi che fai di solito e scrivi un testo indicando cosa metti in valigia.

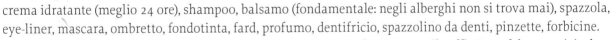 PAROLE UTILI

(lo) zaino

(il) trolley

(la) valigia

(la) borsa da viaggio

1. ANGOLINI D'ITALIA DA SCOPRIRE

A. Ecco tre angolini d'Italia da scoprire. Leggi i testi e riformula le frasi che trovi nella pagina seguente. C'è qualcosa che ti sorprende?

A spasso per il parco
Valcellina (Pordenone)

Compresa nel Parco Naturale Dolomiti Friulane, la valle si può scoprire sia a piedi che con le racchette da neve. Il parco predispone un calendario di escursioni guidate che si effettuano soprattutto nei fine settimana e nei giorni festivi. La scelta è ampia: dalle facili passeggiate naturalistiche nei pressi dei centri abitati alla ciaspolata notturna alla storica Casera Padrut, nella frazione di Lesis. Un'altra bella escursione a piedi è quella che sale al rifugio Casera Ditta, in Val Mesazzo, a sud di Erto. Si raggiunge in un'ora e mezza dalla località Pineda, con circa 300 metri di dislivello.

In giro per borghi
Monte Peglia (Terni)

Nei villaggi intorno al Monte Peglia si nascondono piccole chicche meritevoli di una visita, come Monte Castello di Vibio, che fa parte dei Borghi più belli d'Italia per il suo impianto medievale, le case in pietra ben conservate e le viste fantastiche su Todi. Il borghetto di Rotecastello è tenuto vivo anche da "Arte in mosaico", laboratorio di mosaici artistici di Francesco Rossi. A Colle Lungo va visto il santuario di Santa Maria della Luce. Da visitare la grande attrazione artistica della zona: La Scarzuola, convento francescano che è stato acquistato nel 1956 da uno dei più famosi architetti del secolo scorso, Tommaso Buzzi.

Colazione da Montalbano
Scicli (Ragusa)

Scicli, a una trentina di chilometri da Ragusa e a breve distanza dal mare, è una delle località nelle quali è stata girata la serie TV ispirata ai romanzi di Andrea Camilleri: la Vigata in cui si muove il commissario Montalbano in parte si trova proprio tra strade, piazze e uffici comunali di questa bella cittadina. È nata così una nuova forma di turismo "televisivo". Da non perdere la casa di Montalbano della fiction televisiva che è stata trasformata in un albergo. La prima colazione viene servita nell'ampio salone o sulla terrazza da cui si gode un bel panorama.

Testo adattato da «Bell'Italia» (© Cairo Editore)

1. Possiamo scoprire la valle sia a piedi che con le racchette da neve.

La valle si può scoprire sia a piedi che con le racchette da neve.

2. Le guide effettuano escursioni soprattutto nei fine settimana e nei giorni festivi.

....

....

3. L'escursionista raggiunge il rifugio Casera Ditta in un'ora e mezza.

....

....

4. Il laboratorio "Arte in mosaico" tiene vivo il borghetto di Rotecastello.

il b. di Ro e tenuto vivo da ...

5. Il viaggiatore deve vedere il santuario Santa Maria della Luce.

va visto il ...

6. Tommaso Buzzi ha acquistato La Scarzuola nel 1956.

e stato acquistato da ...

7. A Scicli hanno girato la serie TV ispirata ai romanzi di Camilleri.

....

....

8. Hanno trasformato la casa di Montalbano in un albergo.

è stata trasformata

....

9. L'albergo serve la prima colazione nell'ampio salone.

....

....

B. Completa il quadro. Chi compie l'azione?

Il convento francescano La Scarzuola è stato acquistato *da* Tommaso Buzzi.

La casa di Montalbano viene visitata ogni giorno .... numerosi turisti.

Le escursioni del Parco delle Dolomiti Friulane sono organizzate .... guide esperte del territorio.

C. Adesso trasforma le seguenti frasi secondo il modello. Hai capito come funziona la regola?

FORMA ATTIVA	FORMA PASSIVA
Molti turisti visitano il parco.	*Il parco è visitato da molti turisti.*
Il B&B offre l'aperitivo sulla terrazza. *e offerto*	....
I turisti acquistano i prodotti locali.	....
Il museo organizza visite guidate.	....

D. Che tipo di materiale consulti per i tuoi viaggi? Ti piacciono le pubblicazioni tipo «Bell'Italia» o preferisci la classica guida oppure internet?

Il nostro progetto

Il compitino: con un compagno, scegli tre posti che secondo te vale la pena conoscere. Scrivete dei brevi testi sul modello di quelli del punto A e non dimenticatevi di scegliere un titolo che li rappresenti bene.

curiosità

«Bell'Italia» è un mensile dedicato al patrimonio culturale e naturale italiano. Dal 1986, ogni mese, la rivista offre servizi e reportage sulle bellezze del territorio nazionale. Inoltre, propone delle rubriche su arte, gastronomia e costume.

2. VIAGGI E AVVENTURE

 A. Leggi le ultime novità di Avventure per il mondo e indica a quali viaggi si riferiscono i post.

Avventure per il mondo

il blog di chi ama viaggiare

VIAGGI IN GRUPPO | VIAGGI INDIVIDUALI | OFFERTE

Viaggio ai confini del mondo

Scopri il deserto della Patagonia, scopri il grande ghiacciaio in movimento. A sud del mondo, Perito Moreno, l'ultima frontiera.

VAI AL PROGRAMMA ○

SPA nel deserto

Relax a due passi dalle dune: il nuovo tempio del benessere ti aspetta a 250 km a ovest di Abu Dhabi.

VAI AL PROGRAMMA ○

Venezia... davvero!

La Venezia del Nord, la Venezia dell'Est, la Venezia della Cina... Ma di Venezia ce n'è una sola: vieni a scoprire la laguna originale con noi!

VAI AL PROGRAMMA ○

① Annalisa G.
Spero di non soffrire troppo il freddo! Ma sarò una di voi!

② Mario Tardino
Credo che sia un'ottima occasione per fare una vacanza diversa. Il birdwatching in laguna!

③ Niccolò Greco
Spero che portiate dei guanti! Se ne avete bisogno, avvisatemi! Credo di averne un paio in più ;)

④ Daniela Martellini
Penso che questo viaggio sia un'ottima idea! Relax davanti alle dune! Che sogno!

⑤ Luigi e Sara
Saremo dei vostri! Speriamo di non dimenticare il costume!

⑥ Viola e Giada
Pensiamo di essere delle compagne di viaggio perfette per scoprire questa città unica.

 B. Osserva i post e completa il quadro. Hai capito come funziona la regola?

> Penso **di** partecipare al viaggio nel deserto.
> Penso **che** Simona partecipi al viaggio nel deserto.
> Speriamo **di** venire con voi a Venezia.
> Speriamo **che** Luca .... con voi a Venezia.

 C. Con un compagno, indica quali accessori sono più adatti per le destinazioni del punto A. Aiutatevi con il dizionario.

compass
- ☐ bussola
- ☐ crema solare
- ☐ cannocchiale
- ☐ occhiali da sole
- ☐ borraccia
  water bottle

- ☐ k-way
- ☐ telo da mare beach towel
- ☐ stivali di gomma
- ☐ burro di cacao
- ☐ costume da bagno

- • Penso che gli stivali di gomma servano a Venezia.
- □ Sì, ma credo che siano utili anche in Patagonia.

 D. Adesso ascolta questi viaggiatori: quale delle proposte del punto A gli consiglieresti?

traccia 08

DOPPIA O MATRIMONIALE?

A. Giulia e Ornella vanno a Lucca per partecipare al Lucca Comics & Games.
Ascolta la telefonata e indica quale camera prenotano e quali servizi offre l'albergo.

traccia 09

nonsoloalberghi.com

🔍 Cerca

Alloggio o destinazione

Check-in   Check-out

Persone

CERCA

ALBERGO GIGLIO

Tipologia camera	Condizioni	Prezzo	Prenotazione
👫 **Camera standard matrimoniale**	✳Cancellazione GRATUITA ✳PAGA DOPO ✳Colazione inclusa	190 **OFFERTA INTELLIGENTE**	n. camere PRENOTA ORA **CI RIMANE SOLO UNA CAMERA!**
👫 **Camera doppia superior con letti singoli** **VASCA DA BAGNO CON IDROMASSAGGIO**	✳Prenota e paga ora ✳Colazione inclusa	210 **OFFERTA A TEMPO!** **L'OFFERTA SCADE TRA 01:15:48 ORE!**	n. camere PRENOTA ORA **CI RIMANE SOLO UNA CAMERA!**
👤 **Camera singola**	✳Cancellazione GRATUITA ✳PAGA DOPO ✳Colazione inclusa	135 **OFFERTA INTELLIGENTE**	n. camere PRENOTA ORA **CI RIMANE SOLO UNA CAMERA!**

- 📺 ☐ TV a schermo piatto
- ❄ ☐ aria condizionata
- 🔲 ☐ cassaforte
- 🛁 ☐ bagno turco
- 🧖 ☐ sauna
- 🏊 ☐ piscina
- 🤸 ☐ palestra
- 🚲 ☐ noleggio biciclette
- 🍷 ☐ bar
- 🍴 ☐ ristorante
- 📶 ☐ WiFi
- 🅿 ☐ parcheggio

B. E tu che tipo di alloggio preferisci per i tuoi viaggi? Per prenotare ti servi di siti di offerte? Parlane con i tuoi compagni.

- A me piace stare in ostello: è economico e si possono fare tante conoscenze.
- Ah no, io voglio il bagno privato! E poi mi piacciono gli alberghi che offrono tanti servizi.
- Sì, però sono cari!
- Non è vero, io trovo sempre ottime offerte. Conosco un sito...

PAROLE UTILI

campeggio	ostello
appartamento	agriturismo
albergo	B&B
pensione	Couch Surfing

IL COSTRUTTO PASSIVO

ESSERE + PARTICIPIO PASSATO

Il verbo **essere** può essere utilizzato al presente, al passato e al futuro.

*Il castello **è visitato** ogni anno da molti turisti.*
*La Fontana di Trevi **è stata scolpita** nel XVII sec.*
*Il museo **sarà inaugurato** tra due settimane.*

ANDARE + PARTICIPIO PASSATO

L'uso del verbo **andare** al posto di **essere** aggiunge un valore di obbligo al costrutto passivo. È più frequente il suo uso al presente, ma può essere utilizzato anche al futuro.

*Il castello **va visitato**: è veramente bellissimo.*
*Il museo **andrà inaugurato** entro fine mese.*

Per riferirsi al passato, **andare** si coniuga all'imperfetto.

*La moneta **andava lanciata** nella Fontana di Trevi:
 è una tradizione!*

VENIRE + PARTICIPIO PASSATO

Al posto di **essere** si può utilizzare il verbo **venire**, che può essere coniugato nei tempi semplici del presente, del passato e del futuro.

*Il castello **viene visitato** ogni anno da molti turisti.*
*La Fontana di Trevi **venne scolpita** nel XVII sec.*
*Il museo **verrà inaugurato** tra due settimane.*

SI PASSIVANTE

Possiamo utilizzare questa costruzione solo con i verbi transitivi alla 3ª persona singolare o plurale.

***Si effettuano** visite guidate ogni giorno.*
*La visita guidata **si fa** in inglese.*

Si possono usare i tempi del presente, del passato e del futuro.

*L'anno scorso **si sono effettuate** 5000 visite.*
*Il museo **si inaugurerà** tra due settimane.*

LA PREPOSIZIONE DA

COMPLEMENTO D'AGENTE E CAUSA EFFICIENTE

Nella forma passiva, la preposizione **da** introduce la persona, l'animale o la cosa che compie l'azione.

*Il castello è visitato **da molti turisti**.*
*La grotta è abitata **da un orso**.*
*La roccia è stata scolpita **dal vento**.*

DA + INFINITO

Si usa per esprimere una sfumatura di obbligo.

*Una città **da vedere**.*
*Un piatto **da gustare**.*
*Un museo **da visitare**.*
*Una specialità **da assaggiare**.*

LE PROPOSIZIONI SUBORDINATE

FRASE PRINCIPALE DI + INFINITO

Si usa questa forma quando il soggetto della frase secondaria coincide con quello della principale.

*Credo **di essere** la persona adatta per questo viaggio. (io)*
*Luisa spera **di venire** con noi in montagna. (Luisa)*

FRASE PRINCIPALE CHE + CONGIUNTIVO

Si usa questa forma quando il soggetto della frase secondaria **non** coincide con quello della principale.

*(Io) Credo **che** Livio **sia** la persona adatta per questo
 viaggio.*
*(Io) Spero **che** Luisa **venga** con noi in montagna.*

1. Completa le seguenti mappe mentali.

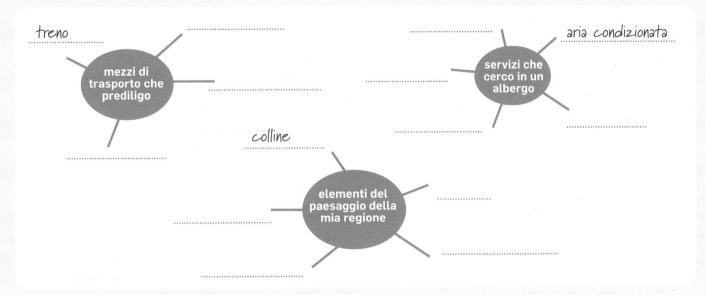

treno

mezzi di trasporto che prediligo

colline

elementi del paesaggio della mia regione

aria condizionata

servizi che cerco in un albergo

2. Completa pensando alle caratteristiche del tuo viaggio ideale.

Destinazione: ....

Durata: ....

Mezzo/i di trasporto: ....

Con chi: ....

Attività: ....

....

Cosa metto in valigia: ....

....

....

Suoni e lettere

traccia 10

Ascolta le frasi e aggiungi alla fine la punteggiatura che ti suggerisce l'intonazione: puntini di sospensione (...) o punto fermo (.).

1. Questo viaggio è interessante per i ragazzi: due settimane in una fattoria biologica con attività, contatto con gli animali

2. Credo proprio che questo viaggio sia conveniente: è tutto compreso

3. Nel mio bagaglio non mancano mai il costume da bagno e gli occhiali da sole

4. Non so se portarmi il costume da bagno. Il tempo dovrebbe essere bello

IL TOUR DEI TEATRI DELL'OPERA È IL VIAGGIO CHE FA PER ME.

5. Mah, guarda, arrivare a Bologna non è un problema: possiamo andare in macchina o prendere il treno, l'aereo

6. A Matera non arriva il treno, dobbiamo prendere il pullman

1. CHE TIPO DI VIAGGIATORE SEI?

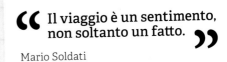

Il viaggio è un sentimento, non soltanto un fatto.

Mario Soldati

A. Insieme a dei compagni, pensa a tre profili di viaggiatore e scrivi i profili corrispondenti. Potete aiutarvi con le seguenti proposte.

viaggiatore avventuroso • viaggiatore fai-da-te • viaggiatore last-minute • viaggiatore solo-agenzie • viaggiatore tutto-relax

B. Adesso completa il test formulando le domande secondo i profili scelti e poi proponilo a un compagno. Quanti e quali tipi di viaggiatore ci sono in classe?

DIMMI COME VIAGGI E TI DIRÒ CHI SEI!

Il tipo di viaggio che scegliamo e come ci prepariamo per le vacanze dice molto del nostro modo di essere e di pensare. Quando andiamo in vacanza il nostro obiettivo è rilassarci, esplorare mondi e modi di vivere diversi dai nostri o regalarci dei piccoli momenti unici in compagnia delle persone che amiamo? Con il viaggio quello che cerchiamo è conoscere gli altri per capire meglio noi stessi o vogliamo imparare dagli altri e aprire i nostri orizzonti? Scopriamolo con questo breve test!

1. Quando viaggi, la tua valigia è generalmente:
   a) uno zaino
   b) un comodo trolley
   c) un valigione extralarge

2. Quando arrivi a destinazione la prima cosa che fai è:
   a) rilassarti
   b) visitare mostre e musei
   c) abbuffarti

3. In vacanza fotografi soprattutto:
   a) gente, visi, persone
   b) palazzi, monumenti, chiese
   c) paesaggi, panorami

4. Prima di partire controlli sempre:
   a) se il passaporto è ancora valido
   b) se bisogna avere un visto
   c) se ci sono vaccini da fare

5. .... :
   a) ....
   b) ....
   c) ....

6. .... :
   a) ....

   b) ....
   c) ....

7. .... :
   a) ....
   b) ....
   c) ....

8. .... :
   a) ....
   b) ....
   c) ....

2. VIAGGI PER TUTTI I GUSTI

A. A gruppi. Pensate a un viaggio da presentare alla Fiera del Turismo. Dovete decidere:

- ▸ il tipo di viaggio
- ▸ la destinazione
- ▸ la durata
- ▸ il prezzo
- ▸ il tipo di alloggio
- ▸ i mezzi di trasporto
- ▸ le attività

Il nostro progetto

B. Realizzate un opuscolo per presentare il viaggio e descrivere la destinazione. Potete utilizzare il formato che preferite, di carta o elettronico. Scegliete delle fotografie e scrivete dei testi e degli slogan accattivanti.

IN BICI NEL DELTA DEL PO
il benessere dello sport e tutto il bello dell'arte

Ti piace lo sport e ami l'arte?
Il Delta del Po è la tua meta ideale!

Ti proponiamo degli itinerari per godere delle bellezze naturali e artistiche del territorio. Pedala lungo il fiume più lungo d'Italia, emozionati con le meravigliose Valli di Comacchio, scopri Ferrara e le Delizie Estensi!

Dal mare alle Valli di Comacchio
- ▸ Durata: 1 giorno
- ▸ Lido degli Estensi, Salina di Comacchio, Torre Rossa, Comacchio, Porto Garibaldi.
- ▸ Prezzo: 80 € pacchetto intero (noleggio bici, pranzo, acqua e spuntini, visite guidate).

Da Ferrara a Pomposa
- ▸ Durata: 2 giorni/1 notte
- ▸ Ferrara, Voghiera, Ostellato, Massa Fiscaglia, Pomposa.
- ▸ Prezzo: 200 € pacchetto intero (noleggio bici, pranzo, acqua e spuntini, visite guidate).

Con il Po verso il mare
- ▸ Durata: 4 giorni/3 notti
- ▸ Stellata, Bondeno, Pontelagoscuro, Francolino, Fossadalbero, Ro, Berra, Massenzatica, Mesola, Goro, Gorino
- ▸ Prezzo: 500 € pacchetto intero (noleggio bici, alloggio con prima colazione, acqua e spuntini, visite guidate).

C. E adesso partecipate alla Fiera del Turismo! Presentate la vostra proposta e informatevi su quelle degli altri gruppi.

- • Il Delta del Po in bici? Mmmm credo che sia una proposta interessante... perché no?
- ▢ Io adoro l'arte e mi piace fare sport: penso di essere perfetta per questo viaggio! Dai, chiediamo un po' di informazioni!

D. Quali proposte di viaggio hanno avuto più successo? Potreste partire tutti insieme o in gruppi, a seconda dei gusti.

Diari di viaggio

Il Milione e Marco Polo

1 *Il Milione* è il resoconto del viaggio in Asia compiuto da Marco Polo nel XIII secolo. Si tratta di una relazione ricchissima di notizie e osservazioni: può essere infatti considerato come una sorta di enciclopedia che
5 contiene descrizioni geografiche, storiche, etnologiche, politiche e scientifiche.
Il Milione ha ispirato il Mappamondo di Fra Mauro, monaco, geografo e cartografo, e i viaggi di Cristoforo Colombo che fino alla morte restò convinto di avere raggiunto
10 il Catai (l'odierna Cina).

> **Marco Polo**
> (Venezia, 1254 - 1324) è considerato uno dei più grandi viaggiatori ed esploratori di tutti i tempi. Nel 1271 parte per la Cina insieme al padre Niccolò e allo zio Matteo. Attraversano l'Anatolia, l'Armenia, la Mesopotamia e la Persia centromeridionale e arrivano fino al deserto dei Gobi. Proseguono lungo il Fiume Giallo e arrivano a Pechino dopo tre anni e mezzo di viaggio.

❝ Signori imperadori, re e duci e tutte altre genti che volete sapere le diverse generazioni delle genti e le diversità delle regioni del mondo, leggete questo libro dove le troverrete tutte le grandissime maraviglie e gran diversità delle genti d'Erminia, di Persia e di
15 Tarteria, d'India e di molte altre province. [...]

Della nobile città di Toris.
Toris è una grande cittade ch'è in una provincia ch'è chiamata Irac, nella quale è ancora più cittadi e più castella.
20 [...] Gli uomini di Tor(i)s vivoro di mercatantia e d'arti, cioè di lavorare drappi a seta e a oro. [...]

De Camul.
Camul è una provincia, e già anticamente fue reame. E àvi ville e castella assai; la mastra città à nome Camul. La
25 provincia è in mezzo di due diserti: da l'una parte è 'l grande diserto, da l'altra è uno piccolo diserto di tre giornate. Sono tutti idoli; lingua ànno per sé. Vivono de' frutti de la terra e ànno assai da mangiare e da bere, e vendonne assai. E' sono
30 uomini di grande solazzo, che non attendono se no a sonare in istormenti e 'n cantare e ballare. [...] **❞**

Da *Il milione*, di Marco Polo

---

1. Conosci altri grandi viaggiatori ed esploratori? Scegli quello che ti sembra più interessante e presenta i suoi viaggi ai compagni.

Viaggio in bicicletta con Paolo Rumiz e Altan

Tre uomini in bicicletta è il racconto del viaggio che Paolo Rumiz ha fatto con Altan ed Emilio Rigatti da Trieste a Istanbul... in bicicletta: 2000 km percorsi in 18 giorni! Oltre ad essere un bellissimo libro che fa venire voglia di viaggiare e di osservare, è anche utile come guida. È diviso, infatti, in tappe e ogni tappa presenta le caratteristiche tecniche del percorso e contiene la cartina geografica. Il tutto illustrato dalla mano di Altan.

« PRIMA TAPPA: TRIESTE – RAZDRTO

Lunghezza: 42 km
Tempo effettivo di pedalata: 2h e 27'
Media: 17.4 km/h
Partenza: 15.30
Arrivo: 18.05

La tappa da Trieste a Žužemberk è breve, ma dall'attacco in città fino ai 605 m/slm di Senožeče, in Slovenia, dove si scollina, ci sono ben 35 km di salita, con una pendenza di circa il 3-4%. Vale la pena, dunque, di partire con calma, preferendo i rapporti leggeri e un ritmo lento di pedalata. L'euforia della partenza è una delle cause possibili di incidenti dovuti alla distrazione. Il traffico è intenso fino a Villa Opicina, mentre il valico di Fernetti-Sežana diminuisce di molto, dato che la maggioranza del turismo si dirige verso la Dalmazia, attraversando il confine di Pese. Dopo il confine si prosegue dritti, continuando l'eterna salita, per una strada larga e con traffico moderato. Una volta giunti al colle, poco dopo Senožeče (che rimane sulla destra della principale) una discesa di pochi minuti permette di raggiungere Razdrto. **"**

Da *Tre uomini in bicicletta*, di Paolo Rumiz (© Giangiacomo Feltrinelli Editore)

Paolo Rumiz
(Trieste, 1947) è giornalista, scrittore e gran viaggiatore. Oltre ai numerosi reportage realizzati per lavoro, Rumiz ogni estate fa un viaggio che poi racconta sul quotidiano «La Repubblica» giorno per giorno.
Altan (Treviso, 1942) è fumettista, disegnatore e "padre" della Pimpa, la cagnolina protagonista di una famosissima serie di fumetti.

2. Ti piace tenere un diario dei tuoi viaggi? Quale formato preferisci: un taccuino, un blog, Facebook, Twitter, Instagram...?

3. Pensa a un viaggio che hai fatto e che ti è piaciuto molto e scrivi un testo di circa 500 parole da presentare ai tuoi compagni.

3

IL DESIGN DELLE IDEE

Il nostro progetto

Inventare un oggetto
utile per la vita quotidiana.

STRUMENTI PER IL NOSTRO PROGETTO:

I temi: design e creatività; invenzioni e inventori;
oggetti e utensili; i cinque sensi.

Le risorse linguistiche: i pronomi relativi (II);
indicativo / congiuntivo (III); i comparativi; **può** /
potrebbe + infinito; **deve** + infinito; alcuni usi delle
preposizioni; l'intonazione; le interiezioni.

Le competenze:

 comprendere descrizioni di oggetti e utensili;
comprendere opinioni e commenti su oggetti
e utensili.

 reperire informazioni su oggetti e utensili;
comprendere descrizioni di oggetti e utensili.

 descrivere e comparare oggetti e utensili
e spiegarne uso e funzione.

 discutere ed esprimere opinioni su oggetti
e utensili.

 descrivere oggetti e utensili e spiegarne uso
e funzione.

L'APPARENZA INGANNA

A. Osserva gli oggetti numerati. Cosa sono secondo te? Parlane con un compagno.

- Il numero 1 è un pappagallo.
- Sì, ma in realtà è una penna, secondo me.

B. Osserva nuovamente gli oggetti e indica i materiali di cui sono fatti.

metallo	☐	pelle	☐	nylon	☐
plastica	☐	vetro	☐	legno	☐
carta	☐	ceramica	☐		

C. Ascolta la registrazione e verifica le ipotesi che hai fatto sugli oggetti.

traccia 11

Immagini gentilmente concesse da Alessi S.p.a.

1. INVENZIONI ITALIANE

A. Leggi le informazioni su alcune invenzioni italiane e indica a quale corrispondono tra quelle indicate. Sai dire chi è il loro inventore?

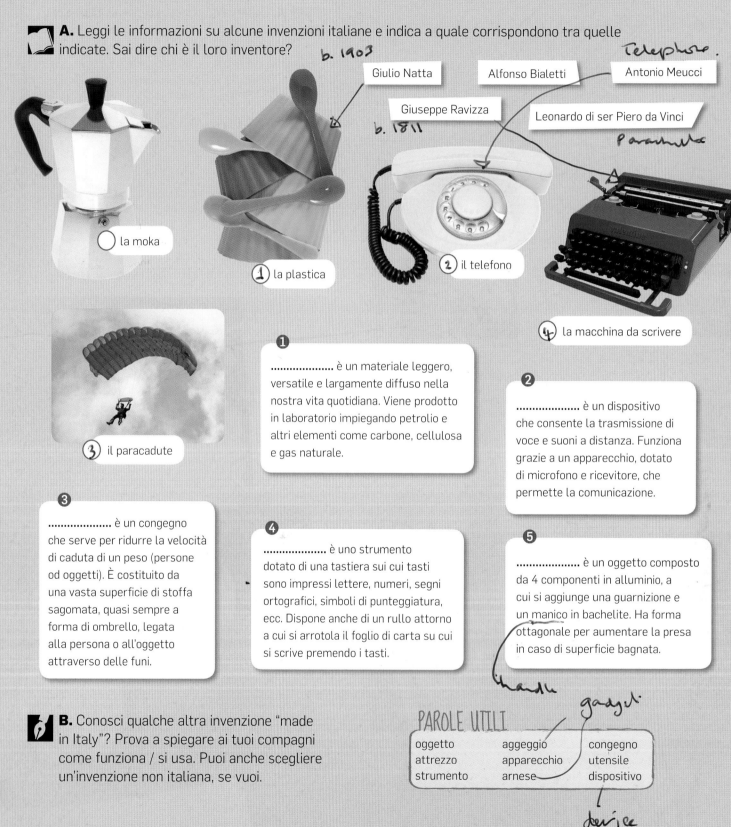

Giulio Natta

b. 1903

Telephone.

Alfonso Bialetti

Antonio Meucci

Giuseppe Ravizza

Leonardo di ser Piero da Vinci

b. 1811

Paracaduta

la moka

① la plastica

② il telefono

④ la macchina da scrivere

③ il paracadute

❶ .... è un materiale leggero, versatile e largamente diffuso nella nostra vita quotidiana. Viene prodotto in laboratorio impiegando petrolio e altri elementi come carbone, cellulosa e gas naturale.

❷ .... è un dispositivo che consente la trasmissione di voce e suoni a distanza. Funziona grazie a un apparecchio, dotato di microfono e ricevitore, che permette la comunicazione.

❸ .... è un congegno che serve per ridurre la velocità di caduta di un peso (persone od oggetti). È costituito da una vasta superficie di stoffa sagomata, quasi sempre a forma di ombrello, legata alla persona o all'oggetto attraverso delle funi.

❹ .... è uno strumento dotato di una tastiera sui cui tasti sono impressi lettere, numeri, segni ortografici, simboli di punteggiatura, ecc. Dispone anche di un rullo attorno a cui si arrotola il foglio di carta su cui si scrive premendo i tasti.

❺ .... è un oggetto composto da 4 componenti in alluminio, a cui si aggiunge una guarnizione e un manico in bachelite. Ha forma ottagonale per aumentare la presa in caso di superficie bagnata.

B. Conosci qualche altra invenzione "made in Italy"? Prova a spiegare ai tuoi compagni come funziona / si usa. Puoi anche scegliere un'invenzione non italiana, se vuoi.

handle

gadget

PAROLE UTILI

oggetto	aggeggio	congegno
attrezzo	apparecchio	utensile
strumento	arnese	dispositivo

device

2. QUESTIONE DI TESTA

A. Leggi l'intervista a Michele Mariani, Direttore Creativo dell'agenzia pubblicitaria Armando Testa, e scegli per ogni risposta la domanda che consideri più appropriata.

1. _____

Qualche volta significa pensiero laterale, qualche volta significa strategia, altre volte linguaggio oppure trattamento. Sempre dovrebbe rappresentare la volontà di costruire uno strappo rispetto a quello che già esiste.

2. _____

Le influenze esterne possono aiutare a stimolare la creatività e costringono i creativi a confrontarsi su scenari nuovi e allargati. Spesso possono ridurre i tempi di preparazione di un'idea, ma non incidono su quello che è il processo creativo originale.

hinder.

3. _____

Il pensiero creativo nasce con un'unica regola: quella di non avere regole. Spesso si arriva ad un'idea dignitosa dopo pochi minuti, a volte dopo giorni di pensieri buttati via. Oggi i consumatori sono più esigenti più scettici, meno influenzabili e più difficili da intercettare. Sono loro che vanno a caccia delle informazioni nei canali che preferiscono. È fondamentale la capacità di

inventare idee intorno al prodotto che non si limitino allo spot classico, ma che siano in grado di costruire un coinvolgimento emotivo, una relazione forte e trasversale in tutti i mezzi con grande attenzione al punto vendita.

4. _____

È facile parlare del passato glorioso, ma è più stimolante raccontare lo slancio verso il cambiamento che attraversa tutto il gruppo. Da agenzia di pubblicità classica è diventata un laboratorio di idee: un sistema di professionisti che lavorano insieme secondo competenze diverse integrate fra loro.

(Intervista di Michele Mariani, direttore creativo esecutivo Armando Testa. Proprietà di Mediaform by Mediastars)

a. Qual è oggi il significato del termine creatività?

b. Come influiscono le nuove tecnologie nel processo creativo?

c. Quali sono le caratteristiche principali dell'agenzia Armando Testa oggi?

d. Che cosa si richiede oggi a un creativo?

B. Segna nel testo del punto A le parole o espressioni che Michele Mariani usa per riferirsi alla creatività. Sei d'accordo? Tu come la definiresti? Parlane con un compagno.

• Per me è qualcosa di originale, sorprendente e unico.

C. Adesso ascolta questa pubblicità: quali prodotti potrebbe pubblicizzare? Indica quali sono le parole che te lo fanno pensare.

traccia 12

1. PICCOLI MA UTILI

A. Leggi le descrizioni di questi oggetti e appunta, per ognuno, le caratteristiche che ne distiguono l'aspetto e la funzione.

Forbici: è uno strumento che serve a tagliare la carta, il cartone, i capelli... È costituito da due lame appuntite, che di solito sono di acciaio, unite al centro da un perno di ferro. L'impugnatura è formata da due anelli in cui si possono inserire le dita per fare leva.

handle

stud pivot

lever sthg up. work

Graffetta: con questo nome si possono indicare due oggetti diversi. Il primo è un fermaglio di metallo che serve a tenere uniti più fogli in modo non permanente e che può essere rivestito con della plastica colorata. Il secondo oggetto, chiamato anche punto metallico, consente di unire i fogli in modo semipermanente. La graffettatrice o spillatrice è l'attrezzo con cui si applicano questi punti metallici.

<u>Penna:</u> strumento utilizzato per scrivere su carta. Possiede un serbatoio interno da cui fuoriesce l'inchiostro, che può essere di differenti colori. La struttura che ricopre il serbatoio è di forma cilidrinca e può essere di plastica o di metallo.

Gomma da cancellare: è un pezzo di gomma morbido a cui si ricorre quando si deve eliminare un errore. Può avere molte forme (quadrata, ovale, rettangolare, ecc.).

B. Trova nei testi del punto A le espressioni corrispondenti a quelle del seguente quadro. In che cosa cambiano?

La graffettatrice è un attrezzo. Con la graffettatrice si applicano i punti metallici.

Nell'impugnatura ci sono due anelli. Negli anelli si possono inserire le dita.

(La penna) possiede un serbatoio interno. Dal serbatoio fuoriesce l'inchiostro.

La gomma da cancellare è un pezzo di gomma morbido. Si ricorre alla gomma da cancellare quando si deve eliminare un errore.

C. Adesso ascolta una bambina che descrive un oggetto. Secondo te di quale parla?

traccia 13

☐ torcia
☐ biberon
☐ termometro
☐ telecomando

Il nostro progetto

Il compitino: pensa a un oggetto e descrivilo senza dire qual è. Il tuo compagno può farti delle domande per indovinare, ma tu puoi solo rispondere sì o no.

2. E QUESTO SAREBBE UN CAVATAPPI?

traccia 14

A. Ascolta i commenti su questi oggetti, poi completa le seguenti informazioni. Sei d'accordo?

Il .... è più originale che pratico.
Il .... è più funzionale dell'apribottiglie.
Il cavatappi è più brutto dell'........................
Il .... è più carino che resistente.
Il .... ha più plastica che metallo.
Con lo .... in legno si spreme meglio che con quello in plastica.
Il .... è più utile che bello.
L'........................ arreda più che essere utile.

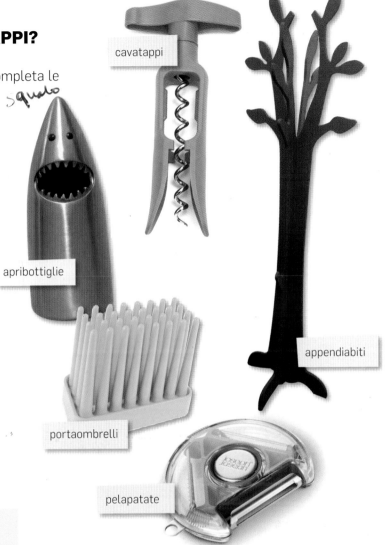

cavatappi

squalo

apribottiglie

appendiabiti

portaombrelli

pelapatate

spremiagrumi

B. Osserva le formule di paragone utilizzate nel punto A e completa il quadro. Poi prova a formulare la regola con un compagno.

L'apribottiglie è più orginale *del* cavatappi.
Il cavatappi è più originale *che* bello.
Il pelapatate è più funzionale .....*del*..... portaombrelli.
L'apribottiglie è più carino ......*che*..... utile.
Il portaombrelli fa scena più .....*che*..... essere pratico.
Sull'appendiabiti ad albero ci stanno più vestiti .....*che*...... su quello classico.

C. I nomi degli oggetti del punto A sono formati da un verbo e da un sostantivo. Prova a completare il quadro.

Cavatappi: *cavare* + tappi
Apribottiglie: .... + bottiglie
Portaombrelli: .... + ombrelli
Pelapatate: .... + patate
Appendiabiti: .... + abiti
Spremiagrumi: .... + agrumi

D. Sicuramente nella tua vita quotidiana usi tanti oggetti che hanno un nome composto. Prova a scrivere una lista con il tuo compagno. Aiutati con questi suggerimenti o il dizionario, se necessario.

▸ penne   ▸ polvere   ▸ stoviglie
▸ aglio   ▸ pane   ▸ chiavi
▸ capelli   ▸ cenere

curiosità

Alessi è una delle aziende più famose che producono oggetti e utensili di design. Le loro proposte sono così originali e sorprendenti che molto spesso, a prima vista, è difficile riconoscere di quale oggetto si tratti. La cura dei dettagli - le linee, i colori e i materiali - rende inconfondibile lo "stile Alessi".
www.alessi.it

3. PENSO CHE SIA...

A. A breve tre amici andranno a vivere insieme. Leggi la loro conversazione su whatsapp, sei d'accordo con le loro proposte e i loro commenti?

[handwritten notes: little house, thingy]

Alice: Ragazzi!! Guardate cosa ho trovato per la nostra casetta...

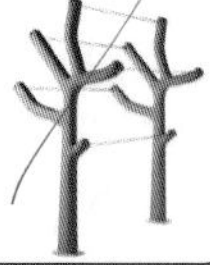

Filippo: E quest'aggeggio cosa sarebbe?

Dafne: Mah sarà una scultura post-moderna...

Filippo: Sembra un po' ingombrante, no?

Alice: Macché! È uno stendino!

Dafne: Sicuramente non è pratico! Non credo che sia una buona idea... Ali, penso che sia meglio comprarne uno più tradizionale ;) *A*

Alice: E va bene! E di questo che ne pensate?

Filippo: Boh! Potrebbe essere un ② obiettivo di una macchina fotografica...

Dafne: Sì, ma è possibile ① che sia un braccialetto...

Alice: Eh eh è un dosapasta!

Filippo: ...utilissimo...

Dafne: Mi piace, lo possiamo comprare. Però io voglio questo:

Filippo: Ragazze ma che avete oggi?? Cos'è quest'attrezzo??

Alice: Che carino! Immagino che sia un tiragraffi...

Dafne: Sì, un tiragraffi per il nostro gattino! Così non si fa le unghie sul divano ;)

Filippo: Non mi sembra che sia una buona idea prendere un gatto...

Alice: Ma va là! Sono sicura che non sarà un problema: siamo in tre e possiamo dividerci la responsabilità.

Filippo: Beh, allora adesso è il mio turno: secondo me non possiamo fare a meno della lavastoviglie.

Dafne: Mmmm, la cucina è un po' piccola, ho l'impressione che non ci stia...

Alice: Beh, però una così forse la possiamo prendere...

Filippo: Forte! Se la prendiamo, allora sono d'accordo per lo stendino post-moderno e per il gatto ;)

B. Rileggi la conversazione del punto A e completa il quadro.

PER ESPRIMERE OPINIONI	PER ESPRIMERE IPOTESI
Sembra un po' ingombrante	Sarà una scultura post-moderna
A	①
	②
	③

C. Adesso osserva le strutture che si usano per esprimere opinioni: quali modi verbali compaiono? Prova a formulare delle ipotesi con un compagno.

stra tegie Le interiezioni, elementi tipici della lingua parlata, si possono usare per arricchire il discorso ed esprimere delle reazioni (sorpresa, disaccordo...). Queste parole possono cambiare di significato secondo l'intonazione.

I SENSI DELLE PAROLE

A. Ecco alcuni slogan pubblicitari. A quali prodotti potrebbero fare riferimento?

① Duro con lo sporco, tenero con i colori

② *Il gusto forte della vita*

③ Dai dolcezza alla vita

④ NON SOLO ACQUA PER LA TUA SETE

⑤ *il profumo della terra*

⑥ *il tuo naso si merita morbidezza*

① detersivo   **④** sciroppo aromatizzato   *symp.*   **⑥** fazzoletti   — *tissue/hankr*
② amaro   **⑤** vino   **③** caramelle

B. Leggi questa lista di aggettivi. Con un compagno, prova a inserirli nella colonna corrispondente. Aiutatevi con il dizionario, se necessario.

dark duty
sinistra.

- acido
- amaro
- armonico
- aromatico
- chiaro
- cristallino

- delicato
- dolce
- duro
- gelido
- limpido
- melodioso

- morbido
- musicale
- penetrante
- profumato
- pungente
- puzzolente — *smelly.*

- raffinato
- ruvido — *coars.*
- salato
- stonato
- stridente
- tenero — *tender / soft*

- torbido
- vellutato — *velvety mellow.*

UDITO	TATTO	OLFATTO	GUSTO	VISTA
sound	*touch*	*smell*	*taste*	
armonico ♥ melodios mus.cale. (penetrante) stonato. stridente ✗	delicato ✗ duro gelido morbido ruvido tener vellutato ♥	aromatica pungente. profumato puzzolente	acido ✗ amaro salato dolce. raffinato ✗ delicato.	chiaro. cristallino. limpido torbid

C. Sei creativo? Insieme a un compagno scegli tre prodotti e scrivete degli slogan per pubblicizzarli. Puoi utilizzare qualche aggettivo del punto B.

Gli slogan pubblicitari sono un buono strumento per memorizzare lessico e strutture: sono brevi e facili da ricordare.

stra tegie

DESCRIVERE UN OGGETTO

Il cavatappi **si usa per aprire** le bottiglie.
La moka **serve per preparare** il caffè.
Il paracadute **è composto da** una superficie di stoffa e delle funi.
L'apriscatole **funziona a** pile.

PREPOSIZIONI PER DESCRIVERE OGGETTI

Un oggetto **di** marmo. (materia)
Un apparecchio **di** alta precisione. (qualità)
Un telefono **a** righe. (qualità)
Una scultura **in** bronzo. (materia)
Il coltello **per** il pane. (fine / scopo)

IL PRONOME RELATIVO CUI

Cui è sempre preceduto da una preposizione.
*Il tritapepe è un arnese **con cui** si trita il pepe.*
*Il portaombrelli è un oggetto **in cui** mettere gli ombrelli.*
*L'appendiabiti è una cosa **su cui** appendere giacche, cappotti, ecc.*

*Nella parte superiore della moka c'è la cannula, **da cui** esce il caffè.*
*La parte inferiore della moka è la caldaia, **a cui** bisogna aggiungere il filtro.*

I COMPARATIVI

COMPARAZIONE TRA DUE SOSTANTIVI

Il secondo termine di paragone viene introdotto da **di** quando si comparano due soggetti diversi rispetto alla stessa caratteristica.
*La lavastoviglie è più utile **del** ferro da stiro.* _{iron}

Se il secondo termine di paragone è preceduto da una preposizione, viene introdotto da **che**.
*Con l'apriscatole elettrico si fa prima **che con** quello manuale.*

COMPARAZIONE TRA DUE AGGETTIVI

Il secondo termine di paragone è introdotto da **che** quando si comparano due caratteristiche rispetto allo stesso soggetto.
*L'apribottiglie è più originale **che** funzionale.*

COMPARAZIONE TRA DUE VERBI

Il secondo termine di paragone è introdotto da **che** quando si comparano due funzioni rispetto allo stesso soggetto.
*L'appendiabiti arreda più **che** essere utile.*

ESPRIMERE OPINIONI E PUNTI DI VISTA

Penso / credo / mi sembra / immagino / suppongo / ho l'impressione / sembra / pare che + **congiuntivo**.
*Penso che **serva** per aprire le scatolette.*
*Ho l'impressione che **sia** di plastica.*
*Immagino che **abbia** un filtro dentro.*

Secondo me + **indicativo**
*Secondo me **è** un giocattolo per bambini.*

Sono sicuro / convinto che + **indicativo** / **congiuntivo**
*Sono sicuro che non **è** / **sia** un cavatappi.*

FORMULARE UN'IPOTESI

È possibile / probabile che + **congiuntivo**
*È possibile / probabile che **sia** un portachiavi.*

Può / potrebbe + **infinito**
*Può / potrebbe **essere** un portachiavi.*

Può darsi che + **congiuntivo**
*Può darsi che **sia** un portachiavi.*

Forse / probabilmente + **indicativo**
*Forse / probabilmente **è** un portachiavi.*

Sarà + sostantivo
***Sarà** un portachiavi.*

Deve + **infinito**
*Deve **essere** un portaocchiali.*

PRESENTARE UN'INFORMAZIONE SICURA

Sicuramente / certamente + **indicativo**
***È** sicuramente / certamente un portaocchiali.*

Per ciascun senso, scrivi degli aggettivi che ti possono servire per fare delle descrizioni.

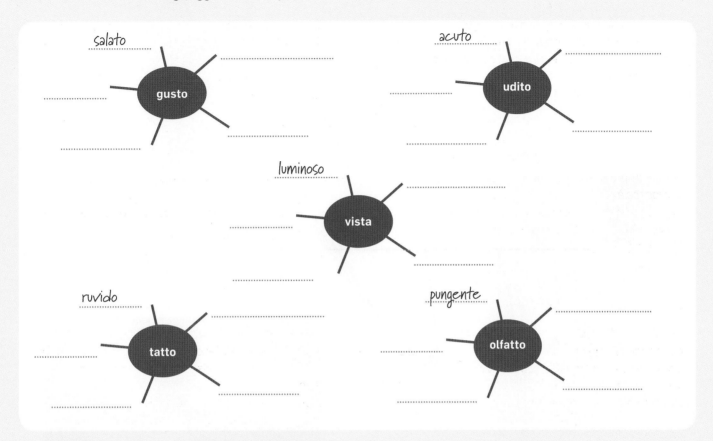

Suoni e lettere

 traccia 15

Leggi le seguenti frasi ad alta voce con un compagno. Poi ascolta la registrazione e compara le intonazioni.

1. • Oddio, dobbiamo lavare tutti questi piatti?!
   ▸ Macché! C'è la lavastoviglie!

2. • E questo coso a che serve?
   ▸ Boh! Non ho proprio capito cos'è!

3. • Secondo te cos'è questo?
   ▸ Mah... sarà un portaocchiali.

4. • Cosa regaliamo a Enrico?
   ▸ Beh, possiamo regalargli un bel cavatappi.

5. • Non so se abbiamo fatto bene a comprare questo spremiagrumi.
   ▸ Ma va là! È comodissimo, è tutto automatico!

1. PICCOLI PROBLEMI, GRANDI SOLUZIONI

 A. Ecco alcuni oggetti che ci rendono la vita più semplice. Secondo te sono davvero utili? Parlane con un compagno.

• *Secondo me la cerniera lampo è utilissima! Credo che si tratti della soluzione migliore per chiudere giacche, maglioni e tante altre cose.*

▫ *Beh sì, è molto comoda. Però mi sembra che sia più geniale il post-it...*

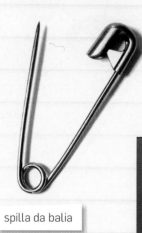

spilla da balia

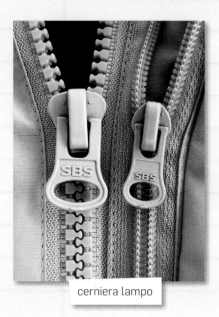

cerniera lampo

cono gelato

post-it

 B. Adesso scegli uno degli oggetti del punto A e crea un annuncio pubblicitario insieme ad un compagno. Se volete, potete anche scegliere un altro oggetto che vi sembra più utile.

Prima di redigere un testo è sempre utile scrivere una "scaletta", cioè degli appunti che aiutano a fissare le idee che vogliamo sviluppare. **strategie**

SPILLA DA BALIA
• caratteristiche: di metallo, piccola...
• uso e funzione: unire tessuti
• punti forti: leggera, rétro, chiusura provvisoria...
...

curiosità

Il cono gelato esiste grazie a Italo Marchioni, venditore ambulante di New York che, stufo di lavare bicchieri, inventa il cono di cialda nel 1903. Grazie a lui possiamo passeggiare e mangiare comodamente un bel gelato!

2. EUREKA!

A. A gruppi. Inventate un oggetto utile! Pensate a un problema della vita quotidiana e quindi a un oggetto che lo possa risolvere. Discutetene insieme e decidete cosa volete inventare.

- Io perdo sempre le chiavi... che disastro!
- Io perdo tutto!
- Beh allora credo che sia utile un aggeggio per non perdere oggetti.
- Potrebbe servire per ritrovare oggetti...
- Sì! Buona idea! Dovrebbe avere un dispositivo che...

Il nostro progetto

TROVATUTTO
- di plastica, piccolo, leggero, colorato
- trova oggetti grazie a un dispositivo che...
...

B. Adesso dovete creare il prototipo della vostra invenzione. Seguite questi punti:

▸ scegliete un nome;
▸ scrivete la descrizione e indicate uso e funzione;
▸ realizzate il disegno o il modellino.

C. In seguito pensate a come volete pubblicizzare il prodotto inventato. Ricordate di descriverlo chiaramente e di scegliere uno o più slogan efficaci. Aiutatevi con questi suggerimenti:

▸ scrivete testi brevi e chiari;
▸ rendeteli attraenti usando aggettivi originali e rime;
▸ sorprendete il pubblico.

D. Infine pensate al formato in cui volete realizzare la pubblicità: potete creare un cartello, girare un video o registrare uno spot radiofonico. Presentate il vostro prodotto ai compagni. Li avete convinti?

STANCO DI PERDERE LA TESTA?
Metti in tasca il trovatutto!

I distratti hanno i giorni contati! Piccolo, leggero e maneggevole, con il **TROVATUTTO** quello che perdi è niente!

Facile da usare, moderno e colorato: non perdere tempo a cercare, ritrova la testa!

Genio italiano

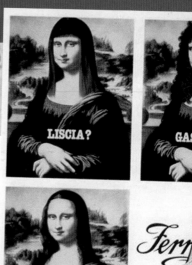

Annamaria Testa

Inizia la sua carriera di copywriter pubblicitaria nel 1974, quando frequenta ancora l'università, e nel 1983 fonda una propria agenzia di pubblicità. Tra i suoi lavori più noti si trovano le campagne per l'acqua Ferrarelle, il detersivo Perlana e la caramella Golia Bianca. Annamaria Testa è inoltre giornalista, docente universitaria e autrice di racconti.

Maria Montessori

Pedagogista, filosofa, medico, scienziata, educatrice. Alla fine dell'Ottocento inventa l'approccio educativo denominato Metodo Montessori, praticato in circa 20.000 scuole in tutto il mondo.

Guglielmo Marconi

Alla fine dell'Ottocento inventa un sistema di comunicazione con telegrafia senza fili via onde radio che ha permesso lo sviluppo di moderni sistemi e metodi di radiocomunicazione, come la radio, la televisione e, in generale, di tutti quei sistemi che utilizzano le comunicazioni senza fili.

 youtube.it + genio italiano

Leonardo Chiariglione

È fondatore del gruppo MPEG, un comitato tecnico incaricato di definire standard per la rappresentazione in forma digitale di audio, video e altre tipologie di contenuti multimediali. Negli anni Novanta produce i formati standard MPEG-1, MPEG-2 e l'MP3.

Galileo Galilei

Il suo nome è legato a importanti contributi in dinamica e in astronomia e all'introduzione del metodo scientifico. Tra i grandi contrubuti che ha apportato alla scienza, troviamo il cannocchiale galileiano e il microscopio galileiano (inizio del '600), una prima versione dello strumento moderno.

www.museogalileo.it

Eugenio Barsanti e Felice Matteucci

Ingegneri e realizzatori del primo <u>motore a scoppio</u> funzionante (1853).

internal combustion engine

Alessandro Volta

Fisico conosciuto soprattutto per l'invenzione del primo generatore elettrico (1799), la pila, e per la scoperta del metano.

1. Sicuramente anche il tuo è un paese di geni e creativi. Fai una ricerca e presenta brevemente ai tuoi compagni alcuni rappresentanti significativi.

2. Adesso scegli il "genio" che ti piace di più. Può essere di qualsiasi nazionalità. Scrivi un testo mettendo in evidenza come, secondo te, ha contribuito al progresso.

Comprensione scritta

	nome della prova	parti della prova	tipologia di esercizi	durata	punteggio
CILS	Test di comprensione della lettura	3	• scegliere l'opzione corretta per ogni informazione (scelta multipla) • indicare se delle informazioni sono presenti nel testo (V/F) • ordinare un testo	45 minuti	20
CELI	Comprensione di testi scritti	3	• indicare se delle informazioni sono presenti nel testo (V/F) • abbinare la risposta alla domanda corrispondente • scegliere l'opzione corretta per ogni informazione (scelta multipla)	2 ore (lettura + scritto)	25
PLIDA	Leggere	2	• scegliere l'opzione corretta per ogni informazione (scelta multipla) • indicare se delle informazioni sono presenti nel testo	30 minuti	30

Suggerimenti e consigli per la prova

- Segui attentamente le istruzioni per la prova. Cerca di riconoscere la tipologia del testo: osserva il formato, cerca di capire come sono distribuite le informazioni, quindi guarda se ci sono titoli, sottotitoli, paragrafi, ecc.

- Prima di cominciare, leggi le domande dell'esercizio, così la tua lettura sarà già orientata a cercare le informazioni necessarie. Poi fai una lettura generale del testo per capire le idee principali e individuare le risposte adeguate.

- Ricorda che non è necessario capire tutte le parole per poter rispondere alle domande. Aiutati con il contesto per le parole che non conosci.

ESERCIZIO 1

Leggi la trama di questo libro di Lia Levi e indica quali informazioni sono presenti nel testo.

UNA FAMIGLIA FORMATO EXTRALARGE

Paolo ha undici anni e vive con la sorella e la mamma perché i suoi genitori sono separati. Paolo e sua sorella non vanno molto d'accordo e a lui piacerebbe avere una famiglia allargata come quella del suo amico Edoardo. È innamorato di Margherita, una compagna di classe. Ma lei ha una cotta per Kevin, uno dei personaggi più popolari della scuola perché la sorella partecipa a un reality show. A casa di nonna Adele, Paolo conosce Irina, un'infermiera russa molto carina che ha una figlia, Tamara, della sua stessa età. Lorenzo, il papà di Paolo, s'innamora di Irina e la vuole sposare. Paolo è contento perché così avrà una famiglia allargata come quella di Edoardo. Però si sente anche a disagio perché non sa come presentare Tamara agli amici.

- ☐ **1.** Paolo non va molto d'accordo con sua madre.
- ☒ **2.** A Paolo piacerebbe avere più fratelli e sorelle.
- ☐ **3.** A Margherita piace Kevin perché partecipa a un programma della TV.
- ☐ **4.** Nonna Adele è contenta del lavoro di Irina.
- ☐ **5.** Paolo e Tamara sono coetanei.
- ☒ **6.** Paolo ha sentimenti contrastanti quando sa che il padre sposerà Irina.

ESERCIZIO 2

Leggi il testo e marca l'opzione corretta (a, b, c) con una X.

PATRIMONIO MONDIALE DELL'UMANITÀ

"La regione costiera ligure nella zona delle Cinque Terre costituisce un patrimonio di alto valore paesaggistico e culturale. La disposizione e la conformazione dei piccoli paesi [...] racchiude chiaramente in sé la storia e la cultura degli insediamenti di questa regione nel corso di un millennio."

Così sono descritte le Cinque Terre dall'UNESCO, che nel 1997 le ha dichiarate Patrimonio dell'Umanità, insieme a Portovenere e alle isole. Le Cinque Terre, effettivamente, sono i testimoni della cultura, della storia e delle fatiche spese nel corso dei secoli dai suoi abitanti per modellare un territorio ostile. La costa a strapiombo sul mare, alternata a baie e spiaggette; i paesi di origine medievale; le coltivazioni di vite e ulivo: sono le peculiarità di queste terre. È stato proprio l'uomo, con anni di lavoro, a creare questo paesaggio unico, fatto di terrazzamenti sui fianchi scoscesi dei monti, che a volte arrivano quasi toccare il mare.

1. Le Cinque Terre sono Patrimonio dell'Umanità perché

☐ **a)** le coste sono di grande bellezza.

☒ **b)** racchiudono in sé la storia e la cultura della zona.

☐ **c)** ci sono centri di origine medievale.

2. La Geografia delle Cinque Terre è

☐ **a)** dolce e pianeggiante.

☐ **b)** accessibile e uniforme.

☒ **c)** ripida e scoscesa.

3. Il paesaggio è stato modellato

☒ **a)** dal duro lavoro dell'uomo.

☐ **b)** dagli agenti atmosferici.

☐ **c)** dalle coltivazioni.

ESERCIZIO 3

Leggi i testi e abbinali alle immagini corrispondenti.

1. È composto da un'asta in legno a cui è fissata una coppa di gomma. *B*

2. È un attrezzo utilizzato per avvitare o svitare viti. *A*

3. Piccolo arnese a molla composto da due pezzi di legno o di plastica uniti al centro da una molla. *C*

4. È costituito da un'impugnatura e un tondino di acciaio. *A*

5. È un arnese utilizzato per eliminare intasamenti nelle tubature. *B*

6. Si usano per fissare i panni appesi ad asciugare. *C*

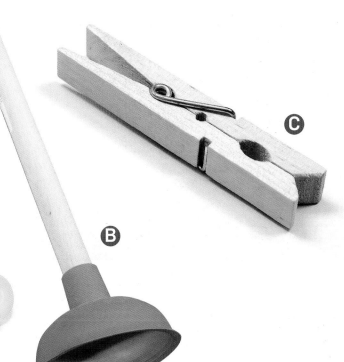

Autovalutazione

1. Competenze unità 1, 2 e 3	Sono capace di...	Ho delle difficoltà a...	Non sono ancora capace di...	Esempi
parlare di relazioni interpersonali				
descrivere il carattere di persone e animali				
descrivere paesaggi e località tursitiche				
parlare dei diversi modi di viaggiare				
descrivere aspetto e funzione di oggetti				
esprimere opinioni e punti di vista				
formulare ipotesi				

2. Contenuti unità 1, 2 e 3	So e uso facilmente...	So ma non uso facilmente...	Non so ancora...
il trapassato prossimo			
il congiuntivo presente			
i pronomi relativi **che** e **cui**			
verbi pronominali: **farcela**, **cavarsela**, ecc.			
i nomi e gli aggettivi alterati			
il costrutto passivo			
alcuni usi delle preposizioni: **da**, **di**, **a**, **in**, **per**			
di + infinito / **che** + congiuntivo			
i comparativi			

Bilancio

Come uso l'italiano	😊	🙂	😐	☹️
quando leggo				
quando ascolto				
quando parlo				
quando scrivo				
quando realizzo le attività				

La mia conoscenza attuale	😊	🙂	😐	☹️
della grammatica				
del vocabolario				
della pronuncia e dell'ortografia				
della cultura				

In questo momento i miei punti di forza sono: ....

In questo momento le mie difficoltà sono: ....

Idee per migliorare	in classe	fuori dalla classe (a casa mia, per la strada...)
il mio vocabolario		
la mia grammatica		
la mia pronuncia e la mia ortografia		
la mia pratica della lettura		
la mia pratica dell'ascolto		
le mie produzioni orali		
le mie produzioni scritte		

Se vuoi, parlane con un compagno.

4

C'ERA UNA VOLTA...

Il nostro progetto

Modificare una fiaba tradizionale.

STRUMENTI PER IL NOSTRO PROGETTO:

I temi: fiabe e favole; opere liriche; romanzi italiani a puntate.

Le risorse linguistiche: espressioni temporali per la narrazione (**ad un tratto**, **all'improvviso**, ecc.); passato remoto; pronomi combinati; frasi fatte comparative (**brutto come la fame**, **furbo come una volpe**, ecc.); consonanti doppie e scempie.

Le competenze:

 comprendere trame di fiabe e opere liriche; individuare le caratteristiche principali dei personaggi.

comprendere informazioni su opere liriche; riconoscere l'incipit di fiabe tradizionali.

parlare dei temi principali di opere liriche; raccontare favole e fiabe.

parlare di differenti versioni di fiabe tradizionali; discutere sulle caratteristiche dei personaggi tipici delle fiabe.

scrivere trame e finali alternativi di favole e fiabe; descrivere personaggi.

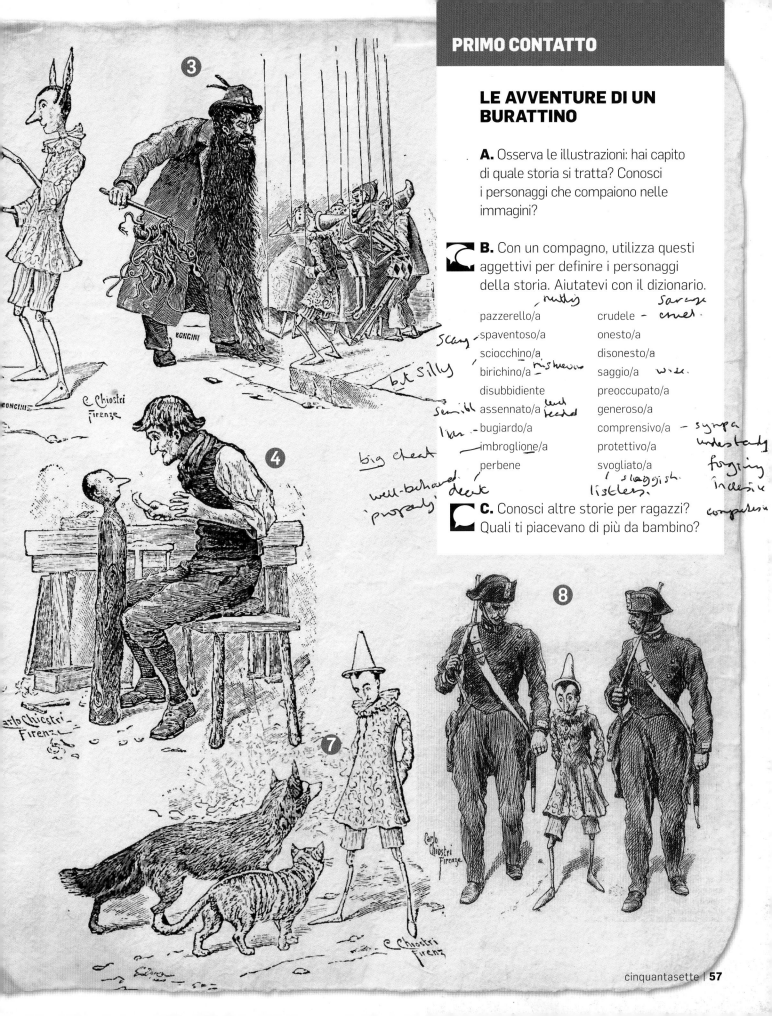

LE AVVENTURE DI UN BURATTINO

A. Osserva le illustrazioni: hai capito di quale storia si tratta? Conosci i personaggi che compaiono nelle immagini?

B. Con un compagno, utilizza questi aggettivi per definire i personaggi della storia. Aiutatevi con il dizionario.

pazzerello/a	crudele
spaventoso/a	onesto/a
sciocchino/a	disonesto/a
birichino/a	saggio/a
disubbidiente	preoccupato/a
assennato/a	generoso/a
bugiardo/a	comprensivo/a
imbroglione/a	protettivo/a
perbene	svogliato/a

C. Conosci altre storie per ragazzi? Quali ti piacevano di più da bambino?

1. AMORI IMPOSSIBILI

 A. Ascolta su YouTube il duetto di Santuzza e Turiddu (*Cavalleria rusticana*) e *Brindisi* (*La Traviata*). Quali sentimenti ti provocano?

euforia   gelosia   invidia   amore   delusione

gioia   inganno   timore   sfiducia   felicità

 B. Ascolta le trasmissioni radiofoniche del programma Opera oggi e segna quali informazioni vengono date.

traccia 16

- [ ] **1.** Tutte e due le opere si basano su un testo letterario.
- [ ] **2.** *Cavalleria rusticana* fu la prima opera composta da Mascagni e che lo rese famoso.
- [ ] **3.** *Cavalleria rusticana* riscosse fin dalla prima rappresentazione un enorme successo.
- [ ] **4.** Verdi e Mascagni studiarono al conservatorio di Milano.
- [ ] **5.** *La Traviata* venne rappresentata per la prima volta a Venezia, ma non ebbe successo.
- [ ] **6.** Francesco Maria Piave, autore del libretto di *La Traviata*, nacque nel 1810.
- [ ] **7.** Targioni-Tozzetti e Menasci scrissero il libretto di *Cavalleria rusticana*.
- [ ] **8.** Nel 1872 Giovanni Verga si trasferì a Milano dove visse per 20 anni.
- [ ] **9.** Pietro Mascagni ottenne un grande successo con la sua prima opera.
- [ ] **10.** Mascagni morì nel 1945 nel suo appartamento dell'Hotel Plaza di Roma.

Il soprano Christina Nilsson nel ruolo di Violetta (*La Traviata*)

C. Ricostruisci le trame di *Cavalleria rusticana* e della *Traviata*. Quali sono i temi comuni a tutte e due le opere?

Santuzza e Lola in *Cavalleria rusticana*

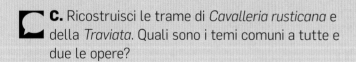

a Violetta conosce Alfredo a una festa, si innamorano e decidono di trasferirsi in una casetta fuori città, anche se lei è malata gravemente di tisi.

b Turiddu Macca, dopo il servizio militare, torna nel suo paese e scopre che Lola, la sua amata, si è sposata con il ricco carrettiere Alfio.

c Alfio giura vendetta e sfida a duello Turidda, che muore.

d Per ingelosire Lola, Turiddu corteggia Santuzza. Durante l'assenza del marito, Lola cede alle insistenze del giovane.

e Santuzza, disperata e ferita nell'orgoglio, rivela ad Alfio il tradimento della moglie.

f Il padre di Alfredo chiede a Violetta di lasciare il figlio. La loro relazione potrebbe rovinare il matrimonio della sorella di Alfredo.

g Lei accetta e abbandona Alfredo mentre lui si trova a Parigi.

h Alfredo lascia la Francia, ma quando il padre gli dice la verità, torna a casa e si getta tra le braccia di Violetta che, però, muore.

2. CENERENTOLA

A. Leggi la trama di tre versioni della fiaba *Cenerentola*. Come si chiama nella tua lingua? A quale delle versioni corrisponde o assomiglia? Parlane con un tuo compagno.

ZEZZOLA

La prima versione italiana di Cenerentola è di Giambattista Basile. Narra la storia di una ragazza, Zezzola, che uccide la matrigna per far sposare il padre con la sua istitutrice. Purtroppo, anche la nuova matrigna maltratta Zezzola e la obbliga a fare i lavori più umili mentre lei si occupa delle sue figlie. Un giorno il padre porta a Zezzola una palma da datteri che si trasforma in una fata. La fata le darà dei bellissimi vestiti per andare alla festa del re. Zezzola lo fa innamorare di lei, ma quando fugge perde una scarpa. Sarà grazie alla scarpa che il re la ritroverà.

ASCHENPUTTEL

Nella versione dei fratelli Grimm Cenerentola è molto più umana: infatti si lamenta spesso della sua condizione anche con la matrigna, scoppia in lacrime quando le sorellastre vanno alla festa e insiste per andare con loro. Il ruolo magico è svolto dal fantasma materno che appare e le fa avere degli splendidi abiti per andare al palazzo. Le sorellastre verranno poi punite: mentre vanno al matrimonio di Cenerentola dei piccioni gli strappano gli occhi.

CENDRILLON

Charles Perrault nella sua versione inventa particolari che seguono i modelli estetici e la morale del tempo. Cenerentola è mite, buona, affronta con coraggio e dignità gli ostacoli e adempie i propri doveri umilmente. È intelligente, altruista anche con le sorellastre che la maltrattano, ha buon gusto e non fa la martire. Dopo il suo matrimonio con il principe, Cenerentola porta a vivere le sorellastre nel palazzo reale e le fa sposare con due gentiluomini della corte.

B. Adesso leggi la trama dell'opera lirica *La Cenerentola* di Gioachino Rossini. Quali sono le similitudini e le differenze con le tre versioni letterarie del punto A?

LA CENERENTOLA

Angelina, una ragazza buona e graziosa, è costretta dalle sorellastre Clorinda e Tisbe e dal patrigno Don Magnifico, il barone di Montefiascone, a fare i lavori domestici più umili. Il principe Don Ramiro decide di organizzare una festa a corte per prendere moglie. Seguendo il consiglio del tutore Alidoro, il principe si presenta nella casa di Don Magnifico insieme al suo scudiero, ma invertendo i ruoli. Grazie a questo stratagemma Don Ramiro scopre la meschinità delle due sorelle e si invaghisce della bontà di Angelina. Con l'aiuto di Alidoro, la ragazza riesce a raggiungere la corte per la festa. Durante il ballo il tutore dona ad Angelina un braccialetto affinché il principe possa riconoscerla e possano annunciare il loro matrimonio provocando la rabbia delle sorellastre.

curiosità

Il nome Cenerentola è comunemente utilizzato in italiano per riferirsi a una persona ingiustamente maltrattata e trascurata. Si usa anche in riferimento a cose, quando sono tenute in scarsa considerazione. Il termine è registrato nei dizionari.

Il nostro progetto

Il compitino: quale Cenerentola preferisci? Insieme a un compagno, crea la tua fiaba utilizzando le versioni dei punti A e B.

1. IL TOPO DEI FUMETTI

 A. Leggi il riassunto del *Topo dei fumetti* di Gianni Rodari. Nel testo compare un nuovo tempo verbale dell'indicativo: il passato remoto. Individua le forme e indica l'infinito corrispondente.

C'era una volta un topolino che viveva nei fumetti e che voleva cambiare vita per conoscere il mondo vero. Dopo aver spiccato un bel salto, si ritrovò fuori dalle pagine del giornale in cui viveva. Non appena sentì l'odore di gatto, esclamò ben forte "Squash!".
Gli altri topi che erano lì in giro, si misero a bisbigliare tra loro perché non avevano capito quella parola così strana. Il fatto è che quel topolino parlava solo la lingua dei fumetti "Sploom, bang, gulp!" e gli altri topi cominciarono a chiedersi di che lingua poteva trattarsi. Il più anziano dei topi osservò che poteva essere turco, ma quando il topolino continuò "Ziip, fiiish, bronk" il topo anziano concluse che non era turco e vattelappesca di che la lingua si trattava. Così, visto che non potevano capire il topolino, la tribù di topi decise di chiamarlo Vattelapesca, considerandolo un po' lo scemo del villaggio. A qualsiasi domanda che i topi gli rivolgevano, Vattelapesca rispondeva "Spliiit, grong, ziziziiir" o "Zoong, splash, squarr!" e gli altri ridevano come dei matti.

Un giorno i topi decisero di andare a caccia di cibo in un mulino e, quando cominciarono a mangiare, tutti facevano "crik, crik, crik", tranne il topolino dei fumetti che faceva "Crek, screk, schererek". I topi lo considerarono un rumore disgustoso e decisero di abbandonarlo lì nel mulino. Intanto il topolino continuò a mangiare felice "Crengh, crengh". Quando si accorse di essere da solo, era già buio e perciò decise di dormire lì nel mulino. Stava per addormentarsi, quando all'improvviso quatto quatto entrò un gatto. Mamma mia, che paura! "Squash" esclamò il topolino, "Gragrragnau!" gli rispose il gatto. Santo Cielo! Che sorpresa! Anche il gatto parlava la lingua dei fumetti! I gatti veri lo avevano cacciato via perché non sapeva dire bene "miao". Allora il gatto e il topolino si abbracciarono e si giurarono eterna amicizia. Trascorsero tutta la notte chiacchierando in quella lingua strana, capendosi a meraviglia.

Riassunto da *Il topo dei fumetti* in *Favole al telefono* di Gianni Rodari

 B. Rileggi la favola del punto A e trova i verbi che corrispondono ai seguenti significati a lato. Poi di' quali altri verbi vengono utilizzati nel testo per introdurre le battute dei personaggi. Aiutati con il dizionario, se ne hai bisogno.

parlare a voce molto bassa → *bisbigliare*

dire qualcosa a voce alta e con enfasi → ....

fare un'osservazione → ....

terminare traendo conseguenze logiche → ....

2. STREGHE, ANELLI E INCANTESIMI

 A. Leggi la fiaba *L'anello di Govilda* e inserisci i dialoghi nel punto corrispondente.

L'ANELLO DI GOVILDA

Il primo giorno Nicolino partì per il palazzo. Appena lo raggiunse, si mise davanti al portone, bussò timidamente e aspettò. Non accadde niente. Bussò di nuovo un po' più forte e aspettò. Quando stava per andarsene, all'improvviso, la strega si affacciò alla finestra.

══════════

A quel punto, la strega strinse l'anello nella mano e lo nascose in tasca.

══════════

Per un po' ci fu silenzio. Gli occhi della strega si bagnarono di lacrime. Quando si fu ripresa dall'emozione continuò.

══════════

Di colpo si aprì la porta. Allora Nicolino entrò e la prima cosa che vide fu un quadro. Quando osservò la giovane del quadro ammutolì. Nel quadro c'era una giovane bellissima. A un tratto apparve la strega che si piantò davanti al ragazzo, che guardava affascinato il quadro.

══════════

A un certo punto lo sguardo della strega divenne più dolce e accarezzò teneramente la guancia di Nicolino e disse…

a
- Ve lo raccontò? A te e a chi altro? - gridò la strega.
- A me e a mio padre.

b
- La riconosci? – chiese.
- Come mai hai questo quadro?
  - disse commosso Nicolino.

c
- Perché non me lo vuoi dare? Mi appartiene! - replicò il ragazzo.
- L'anello appartiene alla principessa Govilda. Era un regalo di sua madre.
- Lo so che glielo aveva regalato sua madre. Me lo raccontò… anzi ce lo raccontò proprio lei.

d
- Che cosa desideri ragazzo? - gli chiese la strega.
- Voglio il tuo anello. - le rispose il ragazzo.
- Il mio anello? Non te lo darò mai! - urlò.

 B. Rileggi il testo del punto A e completa il quadro. Cosa succede ai pronomi indiretti?

 C. Adesso individua i connettivi temporali nella fiaba del punto A.

Non **te lo** darò mai! → *Non ti darò mai l'anello!*

Perché non **me lo** vuoi dare? → ....

Lo so che **glielo** aveva regalato sua madre. → ....

Ce lo raccontò proprio lei. → ....

Ve lo raccontò? → ....

Il nostro progetto

Il compitino: *L'anello di Govilda* non è completa, manca il finale. Qual è secondo te? Con un compagno scrivete come finisce la storia. Ricordatevi di inserire anche dei dialoghi.

3. IL MAIALINO VOLANTE

A. Leggi questo breve racconto. Quali sono le caratteristiche del personaggio descritto?

www.stefanobenni.it

Porcellinus pedalinus

Se a Stranalandia sentite un forte ronzio nell'aria, non è un calabrone, ma il maialino volante. Grosso come un salvadanaio, roseo e grassottello, è dotato di due alucce da colibrì e sa volare con sorprendente agilità. Questo simpatico animale, proprio come le api e i calabroni, ama i profumi. Ma essendo maialino non va a cercare i fiori, bensì i calzini, di cui ama follemente l'odore un po' stagionato. Non era infrequente, quando Kunbertus andava a ritirare i calzini stesi ad asciugare, che ci trovasse dentro un maialino rimasto intrappolato. (I maialini fanno anche un miele, il miele di calzino, che ha un delicato sapore di gorgonzola).

Da *Stranalandia* di Stefano Benni (© Giangiacomo Feltrinelli Editore)

B. Hai capito il significato dell'espressione "grosso come un salvadanaio"? Con un compagno, prova a formare altre espressioni che corrispondono a questi significati.

1. è bruttissimo
2. è dotato di una gran forza
3. ha una notevole furbizia
4. non dice niente
5. è molto solo

6. è buono e tranquillo
7. è bellissimo
8. è molto dolce
9. è scurissimo

brutto come	il sole
forte come	il miele
furbo come	la fame / il peccato
muto come	un leone
bello come	un cane
docile come	un pesce
solo come	la notte / il carbone
dolce come	una volpe
nero come	un agnellino

C. Scegli uno di questi stravaganti animali e scrivi una breve descrizione. Aiutati con le risorse del punto A e del punto B.

▸ pescecavallo
▸ mucca-bar
▸ rana da guardia

curiosità

Porcellinus pedalinus *è uno dei numerosi e bizzari animali di Stranalandia, una sconosciuta isola a cui approdano casualmente due scienziati scozzesi. La storia è narrata da Stefano Benni nel libro* Stranalandia *(1984).*

E VISSERO FELICI E CONTENTI

A. Leggi questi finali. A quali fiabe corrispondono?

Hansel e Gretel   **Cappuccetto rosso**   La principessa sul pisello   Il soldatino di piombo

Biancaneve e i sette nani   **La piccola fiammiferaia**   **Pollicino**   Riccidoro e i Tre Orsi

Il fagiolo magico   La sirenetta   Il brutto anatroccolo   La bella addormentata

1
L'albero magico non crebbe mai più e del resto ormai Giacomino e sua madre non ne avevano più bisogno perché l'arpa suonava meravigliosamente e la gallina continuava a produrre uova d'oro. E vissero felici.

2
Dopo le nozze nella cappella di corte, gli sposi passarono nel gran salone degli specchi e lì cenarono, serviti a tavola dagli ufficiali della Principessa. Quella notte dormirono poco. La Principessa non ne aveva un gran bisogno… e vissero cent'anni felici e contenti.

3
Il re, la regina e il giovane principe si diedero uno sguardo d'intesa: dalla risposta della fanciulla avevano capito che si trattava di una vera principessa! Lei aveva infatti sentito un pisello attraverso venti materassi e venti piumini. Era di sangue blu e la scelsero subito come sposa per il principe.

4
Il principe la baciò e poco dopo lei aprì gli occhi, sollevò il coperchio e si rizzò nella bara: era tornata in vita. I sette nani urlarono di felicità.

5
*"Che paura ho avuto! Com'era buio!"
Lei e la nonna riempirono la pancia del lupo con dei pietroni e, quando lui si svegliò e volle correr via, con la pancia così pesante s'accasciò e cadde morto.*

B. Ricordi come inziano le fiabe del punto A? Raccontalo a un compagno e poi verificate con la registrazione.

traccia 17

C. Quali sono i personaggi principali delle fiabe? Fai una lista e decidi con il tuo compagno quali sono i personaggi positivi o buoni e quali negativi o cattivi.

strega
matrigna
sorellastre

D. Pensi che i personaggi dei racconti tradizionali siano adatti al modello di società attuale? Parlane con un tuo compagno.

- Penso che la matrigna non abbia più un ruolo negativo.
- Esatto. E credo che non sia molto attuale neanche...

curiosità

Il termine fiaba indica un racconto fantastico che mescola credenze popolari con elementi magici. La favola, invece, è una breve narrazione che ha come protagonisti uomini e animali e che racchiude un insegnamento di saggezza pratica o una verità morale.

IL PASSATO REMOTO

Il passato remoto (modo indicativo) si usa per azioni concluse che si sono compiute in un passato lontano. Nella lingua parlata, il passato remoto viene usato correntemente solo in alcune zone d'Italia: al sud e in Toscana. Nel resto d'Italia, al suo posto, si usa quasi sempre il passato prossimo. Nella lingua scritta, invece, il suo uso è generalizzato.

I verbi regolari in -**ere** hanno due forme per la 1ª persona singolare e per la 3ª persona singolare e plurale.

PARLARE	CREDERE	PARTIRE
parl**ai**	cred**etti/ei**	part**ii**
parl**asti**	cred**esti**	part**isti**
parl**ò**	cred**ette/é**	part**ì**
parl**ammo**	cred**emmo**	part**immo**
parl**aste**	cred**este**	part**iste**
parl**arono**	cred**ettero/erono**	part**irono**

Numerosi verbi hanno un passato remoto irregolare perché per la 1ª persona singolare e la 3ª persona singolare e plurale usano una radice diversa.

ESSERE	AVERE	STARE	DARE	FARE	DIRE
fui	ebbi	stetti	diedi	feci	dissi
fosti	avesti	stesti	desti	facesti	dicesti
fu	ebbe	stette	diede	fece	disse
fummo	avemmo	stemmo	demmo	facemmo	dicemmo
foste	aveste	steste	deste	faceste	diceste
furono	ebbero	stettero	diedero	fecero	dissero

BERE	VOLERE	SAPERE	RISPONDERE	PRENDERE	VENIRE
bevvi	volli	seppi	risposi	presi	venni
bevesti	volesti	sapesti	rispondesti	prendesti	venisti
bevve	volle	seppe	rispose	prese	venne
bevemmo	volemmo	sapemmo	rispondemmo	prendemmo	venimmo
beveste	voleste	sapeste	rispondeste	prendeste	veniste
bevvero	vollero	seppero	risposero	presero	vennero

NASCERE	RIMANERE	SCRIVERE	METTERE	CHIEDERE	VEDERE
nacqui	rimasi	scrissi	misi	chiesi	vidi
nascesti	rimanesti	scrivesti	mettesti	chiedesti	vedesti
nacque	rimase	scrisse	mise	chiese	vide
nascemmo	rimanemmo	scrivemmo	mettemmo	chiedemmo	vedemmo
nasceste	rimaneste	scriveste	metteste	chiedeste	vedeste
nacquero	rimasero	scrissero	misero	chiesero	videro

I PRONOMI COMBINATI

Si parla di pronomi combinati quando nella stessa frase compaiono un pronome indiretto e un pronome diretto o il pronome **ne**.

Nei pronomi combinati, i pronomi **mi**, **ti**, **ci** e **vi** cambiano la vocale: **i** → **e**.

I pronomi combinati di 3ª persona formano un'unica parola.

	lo	la	li	le	ne
mi	me lo	me la	me li	me le	me ne
ti	te lo	te la	te li	te le	te ne
gli / le	glielo	gliela	glieli	gliele	gliene
ci	ce lo	ce la	ce li	ce le	ce ne
vi	ve lo	ve la	ve li	ve le	ve ne
gli	glielo	gliela	glieli	gliele	gliene

LE ESPRESSIONI TEMPORALI TIPICHE DELLA NARRAZIONE

il giorno dopo	per un po'	di colpo
appena	a un certo punto	a un tratto
a quel punto	all'improvviso	allora

Ti piacerebbe mischiare i personaggi delle favole e delle fiabe più famose? Scrivi qui quale sarebbe la trama.

....

....

....

....

....

....

....

....

Suoni e lettere

A. Ascolta queste parole e indica per ognuna quale suono senti.

traccia 18

	semplice	doppio
1		
2		
3		
4		
5		
6		
7		
8		
9		
10		

B. Ascolta questo breve estratto di *Cappuccetto rosso*. Quale delle due versioni preferisci? Per quale motivo?

traccia 19

1. FAVOLE AL ROVESCIO

 Ti piacciono i finali delle fiabe tradizionali? Osserva l'illustrazione: di che fiaba si tratta?
Cos'è successo secondo te? Parlane con un compagno. Poi scrivete il vostro finale per
la fiaba illustrata o, se preferite, per un'altra.

stra tegie

Il linguaggio che si usa nelle fiabe ha delle caratteristiche particolari e uno stile proprio. Osserva con attenzione i modelli presenti nell'unità: puoi trovare delle risorse utili.

2. BIANCANEVE È MASCHILISTA

A. Ascolta questo dibattito radiofonico e indica quali concetti vengono menzionati.

traccia 20

1. Il modello femminile che si dà è antiquato.

2. L'opposizione tra il bene e il male è un valore che va trasmesso.

3. Per molti genitori le fiabe non sono politicamente corrette.

4. Le fiabe sono piene di preconcetti e cliché.

5. I personaggi delle fiabe rappresentano dei valori che i bambini devono conoscere.

6. Nelle fiabe si dà un'immagine di genitori che non si occupano dei figli.

7. Le fiabe mettono in risalto le risorse dei bambini.

B. E tu cosa ne pensi delle fiabe tradizionali? Parlane con i tuoi compagni.

• Beh, in effetti Biancaneve è un po' maschilista: lei fa le faccende domestiche e i nani vanno a lavorare.

▫ Sì, ma lo fa per ringraziarli dell'ospitalità...

" C'era una volta...
- Un re! - diranno subito i miei piccoli lettori.
No ragazzi, avete sbagliato.
C'era una volta un pezzo di legno. **"**

Carlo Collodi, *Le avventure di Pinocchio*

3. IL CANTASTORIE

Il nostro progetto

A. A gruppi. Modificate una fiaba o una favola tradizionale. Scegliete la storia che volete cambiare e appuntate:

▸ il titolo;

▸ i personaggi principali e le loro caratteristiche;

▸ lo schema narrativo (situazione iniziale, evento centrale, conclusione).

B. Adesso pensate alle modifiche che volete applicare al titolo, ai personaggi e alla narrazione.

NON PENSERAI MICA DI ANDARE AL BALLO CONCIATO COSÌ?

strategie

Ricorda che quando drammatizzi un testo hai a disposizione uno strumento importante: la tua voce. Usala per cambiare l'intonazione.

C. Decidete chi fa il narratore e chi fa i personaggi. Mettete in scena la vostra fiaba. Potete aiutarvi con immagini o musica. Fate prima delle prove per interpretarla bene.

D. Infine scegliete la storia più originale e il gruppo che ha drammatizzato meglio il racconto.

Romanzi a puntate

Cuore

1 Scritto da Edmondo de Amicis e pubblicato per la prima volta nel 1886, nel corso degli anni *Cuore* ha riscosso un grande successo, e non solo in ambito letterario. Esistono, infatti, due versioni cinematografiche, due serie televisive e anche un cartone animato
5 (*Marco*) ispirato al racconto *Dagli Appennini alle Ande*. *Cuore* è un romanzo a episodi scritto come se fosse il diario di un bambino di terza elementare, Enrico, che narra un anno di scuola. In classe c'è tutta l'Italia di allora, quella del processo di unificazione: figli di poveri muratori, di fabbri, di piccoli commercianti o di impiegati.
10 Sono bambini buoni e generosi oppure cattivi e indisciplinati, studiosi oppure svogliati e presentano, attraverso le loro qualità, doti morali e intellettuali. I bambini di *Cuore* diventano così dei modelli: Derossi è intelligente, nobile d'animo, bello, con gli occhi sereni e i riccioli d'oro; Garrone è buono e forte, ha spalle larghe e protegge i deboli;
15 Franti è malvagio e la sua bruttezza sembra esserne il segno; Coretti è laborioso e per questo è anche sereno e felice; e così via. Il maestro, buono ma severo, cerca di spronare gli svogliati, insegna ai ragazzi ad amare la scuola e la patria, a rispettare i genitori, a impegnarsi fino al sacrificio, e racconta loro storie piene di sentimento, che commuovono fino alle lacrime.

Copertina di una storica edizione della Garzanti

La bellissima edizione illustrata da Vamba

Il giornalino di Gian Burrasca

1 *Il giornalino di Gian Burrasca*, scritto e illustrato da Vamba, uscì a puntate tra il 1907 e il 1908 su *Il Giornalino della Domenica*, un settimanale per bambini fondato dallo stesso Vamba, e poi si pubblicò in un unico volume nel 1912. Il protagonista è Giannino Stoppani che
5 scrive un diario delle sue avventure. Gian Burrasca, il soprannome che la famiglia dà al protagonista perché è molto irrequieto e ne combina di tutti i colori, si usa ancora correntemente per riferirsi a ragazzi molto vivaci. Da *Il giornalino di Gian Burrasca* sono stati tratti due film e nel 1964 uno sceneggiato televisivo musicale diretto da
10 Lina Wertmüller e con Rita Pavone nei panni di Giannino. Nel 2001 Rita Pavone ha curato una nuova versione teatrale del romanzo.

La saga di Sandokan

1 Il celebre pirata-gentiluomo Sandokan comparve per
la prima volta nel 1883 sul quotidiano veronese «La
Nuova Arena», che pubblicò in 150 puntate il romanzo
La tigre della Malesia di Emilio Salgari, poi pubblicato
5 in un unico volume nel 1900 con il titolo *Le tigri di
Mompracem*.
Sandokan, che in realtà è di stirpe reale, è un pirata
buono che lotta contro il colonialismo inglese. Ardito,
collerico, audace, impetuoso, fiero e coraggioso, si batte
10 eroicamente per difendere la libertà del suo piccolo
regno, Mompracem. Gli altri personaggi principali
dei romanzi sono il flemmatico portoghese Yanez de
Gomera e il coraggioso indiano Kammamuri, entrambi
amici fedeli di Sandokan.
15 Nel 1976, si girò lo sceneggiato televisivo diretto da
Sergio Sollima che rinnovò la celebrità di Sandokan.
Gli attori protagonisti erano Kabir Bedi nei panni di
Sandokan, Philippe Noiret come Yanez, Carole André
come Marianna e Adolfo Celi interpretava Lord James Brooke. La colonna
20 sonora, firmata dagli Oliver Onions,
divenne popolarissima.
Nei ventisei episodi del successivo
cartone animato, trasmesso da
Raidue nel 1998 e in seguito replicato
25 più volte, la lotta dei pirati per la
libertà dai soprusi del colonialismo
continua a svolgersi fra arcipelago
malese, India e Borneo.

Le tigri di Mompracem, il primo romanzo della saga

Le due tigri, quarto capitolo del ciclo indo-malese

1. Quali erano i libri per ragazzi che leggevi da piccolo? Quali personaggi ricordi? Erano simili a quelli descritti?

2. Conosci altri personaggi famosi cinematografici o televisivi tratti da un romanzo?

5

FACCIAMOCI SENTIRE!

Il nostro progetto

Scrivere un manifesto per le pari oppurtunità.

STRUMENTI PER IL NOSTRO PROGETTO:

I temi: le problematiche sociali; manifestazioni e rivendicazioni; la situazione della donna in Italia.

Le risorse linguistiche: l'uso del congiuntivo (III); il congiuntivo passato; i connettivi concessivi; gli avverbi in **-mente**; le consonanti scempie e doppie: la **z**.

Le competenze:

comprendere e reperire informazioni su articoli di giornali; comprendere commenti su forum e reti sociali.

reperire informazioni in conversazioni e in interviste radiofoniche o notizie.

parlare della situazione sociale del proprio paese; esprimere opinioni sulle problematiche sociali.

scambiare opinioni e dibattere su problematiche sociali.

redigere slogan e manifesti rivendicativi.

RIVENDICAZIONI

A. Osserva queste fotografie: secondo te a quali problematiche si riferiscono?

☐ la criminalità   ☐ la parità dei sessi

☐ il razzismo   ☐ l'immigrazione

☐ la precarietà   ☐ la pace nel mondo

☐ l'inquinamento   ☐ la disoccupazione

☐ la corruzione   ☐ l'istruzione pubblica

B. Hai mai partecipato a una manifestazione? Per quale/i motivo/i?

1. TRA PAURE E INSICUREZZA

 A. Quali sono secondo te le problematiche sociali più gravi nel tuo paese? Parlane con i tuoi compagni.

- Nel mio paese la disoccupazione è un grosso problema, soprattutto quella giovanile.
- Nel mio invece è la criminalità...

PAROLE UTILI

- (la) disoccupazione
- (il) razzismo
- (l') immigrazione
- (l') emigrazione
- (la) povertà

- (l') analfabetismo
- (la) crisi economica
- (l') inquinamento
- (la) corruzione
- (l') instabilità politica

 B. Leggi questo articolo. Condividi anche tu le stesse preoccupazioni?

LE PAURE DEGLI ITALIANI

Insicurezza globale, crisi economica e criminalità sono le preoccupazioni maggiori degli italiani, in un paese diviso in due, chi ha molto e chi ha poco. Lo dimostra l'ultimo rapporto annuale *Tutte le insicurezze degli italiani. Significati, immagine e realtà* realizzato dalla Fondazione Unipolis, dall'Osservatorio di Pavia e da Demos & Pi. In base allo studio, l'82.3% degli italiani dichiara timori relativi all'ambiente, alla globalizzazione, alle guerre e alla sicurezza alimentare. Negli ultimi anni le massime preoccupazioni sono state la criminalità comune, l'emergenza immigrazione e anche il contesto economico e il settore professionale, in particolare la precarietà lavorativa. Al secondo posto, con il 78.8% nella scala delle preoccupazioni degli italiani, si collocano i problemi di natura economica. Quasi la metà ~half~ del nostro paese (48.4%) teme di non avere abbastanza soldi per vivere e sei persone su dieci di rimanere disoccupate (58.2%). Ed è proprio la disoccupazione a essere considerata, da una persona su due, il problema più urgente da affrontare in Italia. Ciò che emerge dall'analisi è la percezione, da parte di quasi il 90% della popolazione,

di un'Italia divisa in due dal punto di vista del reddito e della condizione sociale, in cui è aumentata la differenza tra chi ha di più e chi di meno. Terza preoccupazione degli italiani la criminalità, con un indice del 50.3%. Otto persone su dieci ritengono che la criminalità sia aumentata rispetto a cinque anni fa. I reati violenti e legati alla grande criminalità sono complessivamente in diminuzione, mentre sono in aumento i reati cosiddetti minori percepiti tuttavia, sul piano sociale e soggettivo, come "maggiori" dalla popolazione perché investono la sfera personale. Un dato interessante è la percezione dell'insicurezza politica, che si colloca al quarto posto nella graduatoria delle paure.

Quella che emerge dal rapporto è dunque un'Italia pervasa da un senso generalizzato di insicurezza, in cui preoccupano crisi economica e criminalità. Soprattutto al Nord. Un'Italia in cui la politica è nota per fatti di corruzione ~corruzione~ e malcostume e percepita essa stessa come fattore di insicurezza prima che come risorsa, e in cui il cittadino comune si sente distante dai gradini più alti della scala sociale.

Adattato da «Il BO», il giornale dell'Università degli studi di Padova

 C. Adesso ascolta questa conversazione: a quali problematiche del testo del punto B fa riferimento?

traccia 21

www.unipd.it/ilbo/

2. DISOCCUPAZIONE GIOVANILE

A. Com'è la situazione del lavoro giovanile nel tuo paese? Ci sono differenze tra le diverse regioni o zone? Leggi questo articolo e compara la realtà del tuo paese con quella italiana.

B. Adesso leggi i commenti di alcuni lettori: con chi sei d'accordo? Parlane con un compagno.

Economia e finanze

Giovani e disoccupazione: le cifre salgono

L'Italia nel contesto europeo

All'interno dell'Unione la divergenza tra i tassi di disoccupazione giovanile varia molto con percentuali al di sotto del 10% nei Paesi Bassi e di oltre il 40% in Spagna. La condizione giovanile appare particolarmente critica anche in altri paesi che presentano valori superiori al 30%: Grecia, Slovacchia, Portogallo e alcune repubbliche baltiche.

L'Italia e le sue regioni

La maggior parte delle regioni presentano tassi di disoccupazione giovanile in sostenuta crescita; fanno eccezione l'Abruzzo, la Basilicata, il Molise, il Piemonte, la provincia autonoma di Trento e l'Emilia-Romagna, regioni in cui l'indicatore ha registrato un calo. Nel Centro, le Marche registrano l'incremento più elevato. Nel Nord-ovest, la Valle d'Aosta cresce di quasi sei punti percentuali, mentre nel Mezzogiorno la Campania è la regione che mostra il livello più elevato del tasso di disoccupazione giovanile, pari al 44,4%, seguita da Sicilia e Sardegna (42%).

ULTIMI COMMENTI

Riccardo Treviso
Ho paura che il Governo abbia creato dei posti di apprendistato per i giovani nelle ditte, ma che, in realtà, il tirocinio sia solo uno specchio per le allodole. Lavorare senza essere pagati, in un certo senso, è uno stato di schiavitù.

Sergio Bergamo
Ritengo che sia necessario individuare soprattutto politiche industriali che riducano le tasse perché le ditte siano più competitive.

Marianna Terni
A mio avviso, dovrebbero proporre dei programmi per i giovani che lasciano la scuola e incentivare delle formule di apprendistato e tirocinio presso le imprese.

Susanna Sorrento
Credo che il governo dovrebbe incoraggiare i giovani a cercare lavoro all'estero, in quei paesi, specie nel nord ed est Europa, dove c'è bisogno di lavoratori.

Aurelia Nuoro
Trovo che i giovani non abbiano lavoro perché non vogliono cercare. Perché nessuno vuole lavorare nel settore dell'agricoltura?

Piero Chieti
Peccato che in Italia non ci sia un mercato del lavoro più flessibile e dinamico come quello dei paesi scandinavi!

SCRIVI IL TUO COMMENTO

Il nostro progetto

Il compitino: secondo te, quali sono i problemi più gravi che affliggono le società a livello mondiale? Parlane con i tuoi compagni.

1. SCENDIAMO IN PIAZZA!

A. Ascolta le notizie relative a tre manifestazioni e indica a quali problematiche tra quelle proposte fanno riferimento.

traccia 22

1.	**a.** I manifestanti ritengono che la Giunta regionale non abbia aiutato la scuola pubblica.
	b. La Giunta regionale considera che i manifestanti non abbiano capito le decisioni prese.
	c. Gli studenti hanno paura che la Giunta regionale abbia approvato il bilancio.
2.	**a.** Il governo teme che i tassisti abbiano bloccato Palazzo Chigi.
	b. I tassisti suppongono che il governo abbia rimandato la discussione a dopo lo sciopero.
	c. I tassisti sperano che il governo non abbia liberalizzato le licenze.
3.	**a.** La cittadinanza ritiene che la situazione igienica negli ospedali sia arrivata al limite.
	b. I medici considerano che la Regione abbia ridotto in modo eccessivo gli addetti alle pulizie degli ospedali.
	c. Il personale sanitario coinvolto dubita che la regione abbia deciso di negoziare dopo le proteste.

B. Nelle frasi del punto A compare il congiuntivo passato: prova a individuare le forme. Poi indica quale altro tempo verbale compare.

C. Le frasi del punto A sono composte da una principale e una secondaria. Rileggile con attenzione e completa il quadro. Quale tempo verbale compare nella principale?

FRASE PRINCIPALE	FRASE SECONDARIA
I manifestanti ritengono che	la Giunta non abbia aiutato la scuola
....	....
....	....
....	....
....	....

D. Rileggi le frasi del punto A e indica se la frase in cui compare il congiuntivo passato è anteriore, contemporanea o posteriore alla principale.

strategie Familiarizzare con la struttura organizzativa di una lingua (la sintassi) ti aiuta a comprenderne meglio il funzionamento.

2. NOI E GLI ALTRI

 A. Leggi questi tweet sull'immigrazione, poi ascolta l'intervista a Patricia Sanchez, immigrata peruviana in Italia, e indica quali opinioni rispecchiano quelle di Patricia.

 traccia 23

Bea @bea - 12 marzo
Quando vedo un immigrato penso a come si dovevano sentire gli italiani tempo fa. È pazzesco che ci siano italiani razzisti!

Rino @rinorino - 12 marzo
Penso che gli immigrati che vivono in Italia siano troppi. È vergognoso che il governo non abbia aumentato le restrizioni d'ingresso!

Graziano @gra-ziano - 12 marzo
La presenza degli immigrati è positiva perché permette il confronto tra culture. È stupido che la gente abbia paura!

Agnese @agnes - 12 marzo
A me preoccupa la disoccupazione. È incredibile che tanti posti di lavoro siano occupati da stranieri!

Dario @darioda - 12 marzo
È giusto che gli immigrati privi di permesso di soggiorno siano regolarizzati quando trovano lavoro.

Gaia @gaiaterra - 12 marzo
È bene che il governo conceda la cittadinanza agli immigrati che risiedono in Italia da 5 anni, se non hanno commesso reati.

 B. Osserva i testi del punto A e completa il quadro.

FRASE PRINCIPALE	MODO VERBALE DELLA FRASE SECONDARIA
È pazzesco che	
È vergognoso che	
È stupido che	
È incredibile che +	....
È giusto che	
È bene che	

diffidenza = - disbust
- suspicion

 C. Adesso leggi quest'e-mail e trova a quali punti corrispondono le frasi del quadro sottostante. Quale tempo verbale compare nelle originali?

A : attualita@radioradio.it

Oggetto : Immigrazione e razzismo

INVIA SALVA COME BOZZA ANNULLA ALLEGA FILE

Buongiorno RadioRadio,
ho ascoltato il programma sull'immigrazione (interessantissimo) e volevo raccontare la mia esperienza. Mio figlio è emigrato in Germania 6 anni fa, adesso ha un buon lavoro e sta bene, anche se è difficile per lui integrarsi totalmente. Sebbene parli molto bene il tedesco e abbia sposato una ragazza di Monaco, fa fatica a farsi accettare da tutti. Naturalmente è anche riuscito a fare delle solide amicizie, sia con persone del posto che con altri immigrati. Sebbene i tedeschi non siano razzisti, c'è sempre molta diffidenza verso gli stranieri. La stessa cosa succede in Italia: accettiamo gli immigrati però poi non li facciamo integrare del tutto. Ricordiamoci non solo di quando gli italiani emigravano in America, ma anche di tutti quei giovani che ancora oggi lasciano l'Italia per cercare lavoro!
Giovanna

Sebbene : although even though

Ha un buon lavoro e sta bene, però è difficile per lui integrarsi.	Ha un buon lavoro e sta bene, anche se è difficile per lui integrarsi.
Parla molto bene il tedesco e ha sposato una ragazza di Monaco, però fa fatica a farsi accettare da tutti.	....
C'è molta diffidenza verso gli stranieri, però i tedeschi non sono razzisti.	....

3. UN PROBLEMA... TANTE SOLUZIONI

A. Ecco alcune problematiche relative alla vita in città. A quali tematiche si riferiscono? Mettile in ordine di importanza secondo le tue priorità e infine parlane con un compagno.

dosn't change. (like città)

move

a Io abito a Roma e qui muoversi è veramente un problema... tra i mezzi pubblici che funzionano male e l'enorme quantità di macchine e moto, la città è un vero caos! Per non parlare dello smog e dell'inquinamento acustico. **Enrica**

porllulia

b Nelle grandi città i prezzi degli affitti sono troppo alti e la situazione è particolarmente difficile per i giovani. Infatti molti rimangono a casa con i genitori. **Lucia**

enti.

c Io sono contento della mia città. Mi lamenterei unicamente del fatto che non ci sono tanti parchi urbani e giardini pubblici dove poter passeggiare o sedersi su una panchina a leggere. Insomma più verde e meno grigio! **Flavio**

d Nel mio quartiere le strade sono sporchissime. La gente è incivile e butta i rifiuti fuori dai bidoni. Purtroppo il camion della spazzatura — *rubbish.* passa solamente un paio di volte alla settimana e quindi i cassonetti si riempiono subito. Un vero schifo! **Antonio**

e Io abito vicino alla stazione e questa zona è tristemente famosa per lo spaccio di droga. È una situazione molto sgradevole e infatti molti vicini hanno deciso di trasferirsi. **Cecilia**

unpleasant.

PAROLE UTILI

(la) mancanza di verde	(la) spazzatura
(il) traffico	(il) degrado
(la) mancanza di servizi	(l') aumento dei prezzi

B. Adesso osserva gli avverbi che terminano in **-mente** nel testo del punto A e completa il quadro. Hai capito come si formano?

AGGETTIVO	AVVERBIO
vero/a	veramente
particolare	....
unico/a	....
solo/a	....
triste	....

C. Leggi questi commenti alle problematiche del punto A. A quale fa riferimento ciascuno?

Bisogna che la Polizia passi più spesso nella zona della stazione perché altrimenti il problema non si risolverà mai. **Luigi** *e*

Occorre che la Regione pensi a delle misure per aumentare le zone alberate. **Vittoria** *c*

È necessario che i vigili diano delle multe salate a chi getta i rifiuti per terra. **Raffaele** *fine -* *d*

Bisogna rendere più verdi le città, abbiamo bisogno di più ossigeno! **Fabio** *a o c* *o₂*

È necessario attuare politiche sociali per combattere la precarietà economica dei giovani. **Lucilla** *b*

Occorre creare una rete di trasporti urbani molto più ampia. **Alessandra** *a*

D. Sottolinea le strutture che si usano per esprimere obbligo e necessità nei testi del punto C e poi prova a completare il quadro. Da quale modo verbale sono seguite?

Bisogna Occorre È necessario	che +	....
Bisogna Occorre È necessario	+	....

Il nostro progetto

Il compitino: cosa non ti piace della città in cui abiti? Parlane con i tuoi compagni per trovare delle soluzioni.

È ORA DI CAMBIARE!

A. A quali dei seguenti gruppi fanno riferimento queste immagini?

| Ambientalisti | Collettivo studentesco | Femministe | Pacifisti | Associazione per gli immigrati | Animalisti | Collettivo pensionati |

B. Adesso leggi questi slogan rivendicativi: quali sono adatti per i gruppi del punto A?

❶ CHI INQUINA PAGA!

❷ SI SCRIVE SCUOLA, SI LEGGE FUTURO

❸ CHI ABBANDONA GLI ANIMALI È UNA BESTIA

❹ GOVERNO LADRO. GIÙ LE MANI DALLE PENSIONI!

❺ VENDESI SCUOLA PUBBLICA

❻ Pari opportunità per tutti

❼ VOGLIAMO UN PIANETA VERDE!

❽ LA SALUTE NON HA NAZIONALITÀ

❾ IL LAVORO NON HA SESSO

❿ CON LE ARMI NON SI DIALOGA

C. Con un compagno scegli tre gruppi del punto A, oppure altri che vi interessano, e scrivete degli slogan rivendicativi.

IL CONGIUNTIVO

Il congiuntivo si usa in frasi secondarie introdotte da verbi come *considerare*, *ritenere*, *supporre*, *sperare*, *dubitare*, *temere*, *avere paura*, ecc. Il soggetto della frase secondaria in cui usiamo il congiuntivo è diverso da quello della principale.

Ritengo che il Governo **debba** aiutare di più i giovani.
Dubito che questo sciopero **cambi** la situazione.
Temo che la crisi **sia** solo una scusa.

Il congiuntivo si usa anche dopo frasi introdotte da espressioni impersonali formate da **essere** + aggettivo:
È giusto che la gente **paghi** le tasse.
È probabile / possibile che Filippo **perda** il lavoro.
È necessario che il Governo **crei** posti di lavoro.

O **essere** + sostantivo:
È bene che si **faccia** la raccolta differenziata.
È un peccato che in città **ci sia** poco verde.

Oppure dopo frasi introdotte da verbi impersonali:
Bisogna che il Comune **crei** delle zone verdi in periferia.
Occorre che le aziende **diano** lavoro ai giovani.

 I verbi impersonali possono essere seguiti anche da un infinito: *Bisogna* **creare** *delle zone verdi.*
Occorre **dare** *lavoro ai giovani.*
In questo caso non si specifica il soggetto.

CONGIUNTIVO PASSATO

Il congiuntivo passato è un tempo composto: è formato dal congiuntivo presente dell'ausiliare e dal participio passato del verbo. Si usa in frasi secondarie che esprimono anteriorità rispetto all'azione della frase principale, che è all'indicativo presente.
Ritengo che tu **abbia sbagliato**.
È probabile che gli studenti **abbiano organizzato** una manifestazione.

AUSILIARE *ESSERE* O *AVERE* AL CONGIUNTIVO PRESENTE	+	PARTICIPIO PASSATO DEL VERBO
abbia		
abbia		
abbia		parlat**o**
abbiamo		
abbiate		
abbiano		
sia		
sia		
sia		andat**o/a**
siamo		andat**i/e**
siate		
siano		

I CONNETTIVI CONCESSIVI

Benché, **sebbene** e **anche se** introducono frasi concessive, cioè che esprimono una conclusione imprevista, non logica. **Benché** e **sebbene** richiedono l'uso del congiuntivo, **anche se** l'uso dell'indicativo.
Benché / Sebbene Sara **parli** tre lingue, non riesce a trovare lavoro.
Anche se Sara **parla** tre lingue, non riesce a trovare lavoro.

GLI AVVERBI IN -MENTE

Alcuni avverbi si possono ottenere aggiungendo il suffisso -**mente** a un aggettivo.
Gli aggettivi che hanno il maschile in -**o** formano l'avverbio dal femminile:
vero + **mente** → ver**a**mente
Gli aggettivi in -**e**, formano l'avverbio dalla forma unica:
felice + **mente** → felic**e**mente
Gli aggettivi in -**e** che hanno come ultima sillaba -**le** o -**re** perdono la -**e** finale:
facile + **mente** → faci**l**mente
celere + **mente** → cele**r**mente

1. Quali sono le problematiche sociali che ti coinvolgono in prima persona?

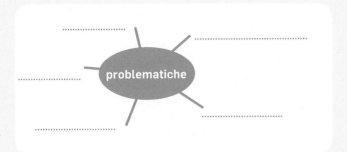

problematiche

2. Scrivi una lista con i verbi che richiedono il congiuntivo.

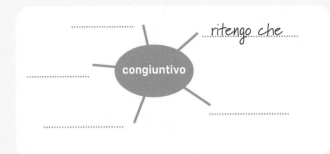

congiuntivo

ritengo che

Scrivi un commento o uno slogan per ogni punto.

1. Inquinamento

....

2. Disoccupazione

....

3. Pari opportunità

....

4. Razzismo

....

5. Immigrazione

....

6. Istruzione pubblica

....

Suoni e lettere

traccia 24

A. Leggi le seguenti parole e poi ascolta la registrazione per verificare la pronuncia.

disoccupazione	legalizzare
insicurezza	cittadinanza
immigrazione	globalizzazione
preoccupazione	spazzatura
razzismo	organizzare
manifestazione	regolarizzare

traccia 25

B. Ascolta queste parole e indica quale suono senti.

	1	2	3	4	5	6	7	8
z								
zz								

È INGIUSTO CHE LE DONNE GUADAGNINO MENO DEGLI UOMINI!

1. LEGGI ASSURDE

 A. Leggi i titoli di queste notizie che si riferiscono ad alcune leggi. Poi parlane con un compagno.

- *Credo che sia assurdo vietare di arrampicarsi sugli alberi.*
- *Sì, sono d'accordo. Invece ritengo che sia giusto...*

> Non si faranno più esami nelle scuole pubbliche

> Il colore della casa deve essere intonato a quello del garage e alcune combinazioni sono proibite

> **Non si possono stendere i panni di domenica**

> È illegale arrampicarsi sugli alberi

> È illegale baciarsi sui binari

> I manifestanti dovranno pagare una tassa

> È vietato usare lo sciacquone dopo le dieci di sera se si risiede in un appartamento

 B. Due notizie del punto A sono false. Sapresti dire quali?.

- *Secondo me non è possibile che abbiano fatto una legge per proibire di salire sugli alberi...*

2. LETTERE AL DIRETTORE   H.W.

  A. Leggi questa lettera al direttore di un giornale e sottolinea le questioni esposte. Hai mai avuto problemi di questo genere? Parlane con un compagno.

Una storia come tante ma che rischia di rovinare veramente la nostra vita!

Io e mio marito siamo scappati da un appartamento in città per problemi di parcheggio, per l'inquinamento, per il rumore delle macchine, perché non c'era verde... Ecco perché abbiamo pensato bene di cercarci una casa fuori città. L'abbiamo trovata. Ampio parcheggio di proprietà, tutto verde attorno, niente macchine... ma non avevamo valutato alcune cose: il portone in comune e i vicini. I nostri vicini lasciano il portone sempre aperto e quando lo chiudono lo sbattono. Ma non è tutto: auto di parenti e amici sempre parcheggiate davanti a casa nostra e un via vai continuo di gente. Inoltre spostano continuamente i mobili senza sollevarli e ci sono sempre stendini dei panni e cose vecchie appoggiate al muro. Ma quello che veramente ci dà fastidio è il portone sempre aperto, sia in inverno che in estate, che causa un sacco di problemi a noi che abitiamo al piano terra, per lo sporco che entra e per la sicurezza. Abbiamo affisso un foglio al portone con la richiesta gentile di fare attenzione a chiuderlo e a non sbattere tappeti e lenzuola sulla rampa delle scale e il giorno dopo lo abbiamo trovato stracciato e buttato sul nostro zerbino. Ne abbiamo parlato anche con il proprietario, ma non abbiamo ricevuto nessuna risposta. Cosa possiamo fare?

Michela e Lucio

B. Immagina di essere il direttore del giornale e rispondi a Michela e Lucio.

? piacere.

3. PARI OPPORTUNITÀ

A. A gruppi. Dovete realizzare un manifesto sulle pari opportunità. Considerate i seguenti aspetti:

▸ lavoro   ▸ famiglia   ▸ cultura
▸ istruzione   ▸ politica   ▸ società

B. Mettetevi d'accordo e decidete quali sono, secondo voi, gli ambiti in cui ancora non c'è parità tra i sessi.

- *Credo che nella vita familiare non ci sia ancora parità tra i sessi.*
- *Ma non è vero, oramai tutte le donne lavorano e i lavori domestici sono ben ripartiti.*
- *Non sono d'accordo! Ritengo che la famiglia sia gestita soprattutto dalla donna...*

C. Scrivete un manifesto per un evento di sensibilizzazione. Pensate anche a uno slogan.

D. E infine presentate il manifesto ai compagni facendo una breve introduzione sulle vostre ragioni.

form & share opinia.

Donne italiane e lavoro

1 L'Italia è uno dei paesi europei a più basso tasso di occupazione femminile, sebbene l'aumento nel numero di occupati degli ultimi anni sia dovuto all'incremento dell'occupazione femminile. Gli ultimi dati disponibili segnalano infatti che anche se nel periodo 1993-2001 il tasso di attività femminile è cresciuto, rimane tuttavia ampiamente al di sotto della media europea. Ciò è dovuto

5 in larga misura alla bassissima partecipazione al mercato del lavoro delle donne adulte in età matura (ultracinquantenni) non già a causa del fenomeno del pensionamento precoce, quanto al fatto che esse appartengono al gruppo per il quale il modello di casalinga a tempo pieno e di dedizione univoca alle responsabilità familiari ha fortemente segnato le strategie di vita adulta. Inoltre, non va sottovalutato il fatto che anche tra i gruppi delle più giovani non solo

10 esistono forti differenze nei tassi di partecipazione e di occupazione a livello territoriale e per grado di istruzione, ma che molte donne continuano ad abbandonare il lavoro alla nascita del primo figlio e talvolta anche solo dopo il matrimonio. Le donne coniugate con figli hanno tassi di disoccupazione più alti non solo degli uomini, ma anche delle donne senza figli. Anche la forte femminilizzazione dell'aumento dell'occupazione part time negli ultimi anni indica che

15 la conciliazione continua ad essere un problema che riguarda esclusivamente le donne. Benché il part time non sia in linea di principio riservato alle donne, sono queste ad occupare in stragrande maggioranza le posizioni che lo prevedono. L'effetto negativo della presenza di responsabilità familiari è più alto per le donne a bassa qualificazione e che vivono nel Mezzogiorno rispetto

20 a quelle con titolo di studio medio-alto e che vivono nel Centro-Nord, anche se si riscontrano in questo secondo caso differenze nei salari tra uomini e donne con pari qualifiche. Conciliare responsabilità familiari e lavorative per le donne è reso difficile non solo da orari di lavoro poco amichevoli e dalla mancanza di servizi

25 adeguati, ma anche, se non soprattutto, dalle aspettative e dai comportamenti dei familiari, innanzitutto dei mariti/padri dei loro figli. Tutte le ricerche sull'uso del tempo segnalano che se si somma il tempo

30 dedicato al lavoro familiare a quello dedicato al lavoro remunerato le donne occupate e con responsabilità familiari lavorano dalle 9 alle 15 ore alla settimana in più rispetto ai loro compagni.

Estratto da *Le disuguaglianze di genere. Un problema di equità e di vincoli allo sviluppo*, di Chiara Saraceno (www.italienieuropei.it)

1. Le condizioni di lavoro delle donne nel tuo paese sono simili o diverse rispetto a quelle italiane?

I diritti _rights_ delle donne in Italia

1874
Viene permesso l'accesso delle donne ai licei e alle università.

1919
Viene abolita l'autorizzazione maritale (con notevoli limitazioni).

6 settembre 1919
La Camera approva la legge sul suffragio femminile con 174 voti favorevoli e 55 contrari. Le Camere però vengono sciolte prima dell'approvazione del Senato.

1 febbraio 1945
Su proposta di Togliatti e De Gasperi, viene concesso il voto alle donne.

1950
Si introduce il trattamento economico dopo il parto.

1951
Viene nominata la prima donna in un governo, la democristiana Angela Cingolani, sottosegretaria all'Industria e al Commercio.

1956
Si stabilisce la parità retributiva tra uomo e donna.

1963
Le donne possono finalmente accedere alle cariche di magistratura e diplomazia.

1968
L'adulterio femminile cessa di essere un reato. _offence/crime_

1970
La Legge del 1 dicembre 1970 n. 898 introduce il divorzio a livello legale.

1975
Si riforma il diritto di famiglia: si stabilisce la parità tra i coniugi e si pone fine all'obbligo di usare il cognome del marito.

1978
L'interruzione volontaria della gravidanza (aborto) cessa di essere un reato nei casi previsti dalla legge.

1987
Si riconosce il diritto all'indennità per maternità per le lavoratrici autonome.

1996
La violenza sessuale diventa un reato contro la persona e non contro la morale pubblica.

1998
Si riconosce il diritto all'indennità per maternità per le donne disoccupate.

2. Quali diritti hanno conquistato le donne nel tuo paese? Fai una cronologia delle conquiste più importanti.

curiosità

In Italia nel 1946 l'U.D.I. (Unione Donne Italiane) scelse la mimosa come fiore per simboleggiare la festa della donna. È infatti un fiore che cresce spontaneamente in molte parti d'Italia, è economico ed è facile avere un rametto piccolo da appuntare alla camicetta o alla giacca.

6

A TAVOLA NON S'INVECCHIA

Il nostro progetto

Creare il blog gastronomico della classe.

STRUMENTI PER IL NOSTRO PROGETTO:

I temi: la gastronomia; gli stili di alimentazione e di cucina; prodotti e piatti tipici; chef italiani; lo slow food; la cucina nella letteratura.

Le risorse linguistiche: l'imperativo e l'infinito per dare istruzioni; i connettivi temporali; **per** e **perché** finali; **ci vuole** / **ci vogliono** e **occorre** / **occorrono** per esprimere necessità; verbi riflessivi + pronomi diretti; la concatenazione.

Le competenze:

comprendere testi su gastronomia e prodotti tipici; reperire informazioni in testi autentici; comprendere ricette di cucina.

riconoscere stili di alimentazione; comprendere ricette di cucina e reperire informazioni su stili di cucina.

esprimere opinioni su stili di alimentazione; parlare di gastronomia e prodotti tipici; dare ricette.

dibattere su stili di alimentazione e di cucina; scambiarsi consigli e trucchi da usare in cucina.

redigere testi su modalità di preparazione di piatti e alimenti.

© Raffaella Midiri

BUON GUSTO

A. Secondo te, in che tipo di posto è stata scattata questa fotografia?

▦ ristorante   ▦ fast food   ▦ rosticceria

▦ tavola calda   ▦ bar   ▦ buffet

▦ trattoria   ▦ mensa   ▦ paninoteca

B. Osserva di nuovo la fotografia: a cosa ti fa pensare? Aiutati con il dizionario, se ne hai bisogno, e parlane con un compagno.

qualità   omologazione   frenesia   genuinità

manipolazione   autenticità   ricercatezza

> **« Chi mangia da solo, si strozza. »**
>
> Proverbio italiano

Cucina Romana

Birreria Pizzeria

1. DI CHE CIBO SEI?

A. Sai cosa significano questi tre concetti? Come si potrebbero chiamare in italiano? Parlane con un compagno. Poi leggi i testi e verifica le tue ipotesi.

- street food
- slow food
- fast food

La buona tavola

home   ricette   prodotti di stagione   notizie   area personale   forum

PIATTI ALLA BANCARELLA: I RISCHI NASCOSTI DELLO STREET FOOD

Lo street food va molto di moda, aiuta quando c'è crisi perché ha prezzi contenuti e offre un'alternativa alla ristorazione classica che non ha saputo rispondere alle esigenze della società moderna. Quella che era solo una (pessima) abitudine alimentare, si sta trasformando lentamente nella nuova tendenza della gastronomia globale. Ma se amate il cibo di strada, attenzione ai rischi che possono celarsi. In base a una ricerca condotta dall'Istituto Superiore di Sanità (Iss) il cibo preparato per strada nasconde insidie per la salute che non sono da sottovalutare. Spesso bancarelle e ambulanti, infatti, stazionano nei luoghi più trafficati, nei pressi di stazioni e snodi importanti e tutto ciò espone il cibo ad un'ampia varietà di elementi atmosferici inquinanti.

IL CIBO CON L'ANIMA

Rispettare la stagionalità dei cibi, privilegiare prodotti a chilometro zero, variare molto la dieta, acquistare cibi freschi e prepararli direttamente (evitando precotti, surgelati e simili), acquistare possibilmente dai produttori, preferire i cibi biologici... Sono solo alcuni dei suggerimenti dello Slow Food per la nostra alimentazione. Le scelte alimentari incidono sulla nostra salute, sulla qualità dell'ambiente e sulla giustizia sociale e per lo Slow Food il cibo è un diritto di tutti: ogni anno si produce abbastanza cibo per nutrire 12 miliardi di persone, ma ne viene sprecata la metà. Oltre 800 milioni di persone soffrono per la fame e la malnutrizione, mentre 1,6 miliardi sono in sovrappeso o obesi.

HAMBURGER E PATATINE

Troppi bambini italiani stanno sviluppando un gusto per gli hamburger da fast food, che sono gli stessi in tutto il mondo e mangiano patatine fritte, bastoncini di pesce e chicken finger. Come spuntino, preferiscono una merendina fatta di farina e zucchero o mangiano yogurt per bambini fatto con grandi dosi di zucchero e componenti chimiche. Questo sta cambiando il loro gusto, il loro palato e i bambini stanno crescendo con i sapori dell'industria alimentare globale e in un mondo inondato di fritto e bevande gassate. Sempre più ristoranti offrono i "menù per bambini" con hot dog e hamburger, piuttosto che porzioni piccole del menù normale.

B. Adesso ascolta queste persone e di' a quale dei tre stili di alimentazione si riferiscono.

traccia 26

C. E tu di che cibo sei? Street food, slow food o fast food?

2. BUONO COME IL PANE

 A. Leggi questo articolo sul pane. Anche nel tuo paese rappresenta un alimento così importante? Quali sono gli ingredienti e i modi di preparazione? Parlane con i compagni.

Pane... come una volta?

disadvantage

Sono cambiati i metodi di produzione, a volte a discapito della bontà, ma c'è chi non rinuncia a qualità e tradizione. Alimento-simbolo dell'Italia a tavola, per il 48% degli italiani il pane supera la pasta in un sondaggio della Cia (Confederazione italiana agricoltori).

exceeds

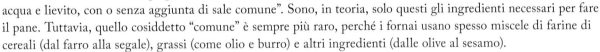

In teoria, un cibo semplice

La legge italiana definisce il pane come "il prodotto ottenuto dalla cottura totale o parziale di una pasta *flour powder* convenientemente lievitata, preparata con sfarinati di grano, acqua e lievito, con o senza aggiunta di sale comune". Sono, in teoria, solo questi gli ingredienti necessari per fare il pane. Tuttavia, quello cosiddetto "comune" è sempre più raro, perché i fornai usano spesso miscele di farine di cereali (dal farro alla segale), grassi (come olio e burro) e altri ingredienti (dalle olive al sesamo).

Se l'impasto è surgelato

baked

Il fatto che le baguette o le pagnotte siano state appena sfornate, non dimostra che siano fresche. Sempre più diffusi sono gli impasti surgelati, solo il 10% del pane sfornato nella grande distribuzione è fresco. Nella maggior parte dei casi, invece, si tratta di impasti surgelati parzialmente cotti, provenienti soprattutto dall'estero, la cui cottura viene terminata in negozio. La legge però obbliga a precisare sull'etichetta che il prodotto è "ottenuto da pane parzialmente cotto surgelato".

B. Adesso ascolta cosa dicono due fornai e prendi appunti. Con le informazioni che ricavi, scrivi un testo con il seguente titolo.

traccia 27

Tecnologia o tradizione?

C. Ecco alcuni tipi di pane italiano. Li conosci? Cerca infomazioni su internet e appunta le caratteristiche principali (ingredienti, forma, consistenza, ecc.).

pane cafone • coppia ferrarese • pane di Genzano • pane di Altamura • pane di Matera

PAROLE UTILI

(farina di) grano tenero	(farina ai) cereali
(farina di) grano duro	(farina) integrale
(farina di) grano saraceno	(la) mollica
(farina di) farro	(la) crosta
(farina di) segale	(il) lievito
(farina di) mais	(la) cottura

 Il nostro progetto

Pick. choose

Il compitino: conosci dei piatti che si preparano con il pane? Scegline uno, italiano o di un altro paese, e presentalo ai tuoi compagni dicendo come si chiama e quali sono gli ingredienti.

1. RICETTE FACILI

  A. Ecco una ricetta alternativa della carbonara. Osserva le varie fasi della preparazione e abbina i testi alle immagini. Poi completa il quadro.

Carbonara agli asparagi

500 g di tagliatelle all'uovo fresche
1 mazzo di asparagi
30 g di lardo
2 spicchi d'aglio
50 g di pancetta dolce
100 g di pancetta affumicata
2 tuorli *egg yolk*
50 g di ricotta *yolk*
50 g di parmigiano reggiano grattugiato
olio extravergine d'oliva
sale e pepe

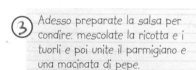
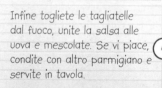

③ Adesso preparate la salsa per condire: mescolate la ricotta e i tuorli e poi unite il parmigiano e una macinata di pepe.

meanwhile

Intanto lessate le tagliatelle in acqua bollente salata. In seguito scolate le tagliatelle, versatele nella padella con gli asparagi e saltatele brevemente. **②**

sauté

In primo luogo lavate gli asparagi e tagliateli a tocchetti. In una padella mettete il lardo tritato, – *chopped* 3 cucchiai d'olio e l'aglio schiacciato e fate soffriggere. A questo punto eliminate l'aglio, unite la pancetta tagliata a listarelle e fatela rosolare. Dopodiché aggiungete gli asparagi, salate, pepate e bagnate con poca acqua. A questo punto mettete il coperchio e proseguite la cottura per 10 minuti. **①**

① Infine togliete le tagliatelle dal fuoco, unite la salsa alle uova e mescolate. Se vi piace, condite con altro parmigiano e servite in tavola. **④**

PER CUOCERE	PER METTERE INSIEME GLI INGREDIENTI	PER PREPARARE I CIBI PRIMA DELLA COTTURA
lessare	unire	....
....	....	....
....	....	....
....	....	....

 B. Osserva nuovamente la ricetta della carbonara. A che tempo verbale e persona sono coniugati i verbi? Anche nella tua lingua è così?

C. Adesso individua i pronomi diretti presenti nei testi del punto A e osserva la loro posizione rispetto al verbo.

D. Infine trova i connettivi temporali che marcano le varie fasi della ricetta.

Il nostro progetto

Il compitino: la carbonara è un piatto tipico della cucina laziale, ma ne esistono tantissime versioni. E tu come la faresti? Prepara una ricetta.

2. TRUCCHI E CONSIGLI

A. Leggi i post di questo forum sui trucchi e i segreti in cucina e trova i connettivi che esprimono un fine. Da che tempo verbale sono seguiti?

> Adoro i pomodori ma la pelle mi dà fastidio e non è sempre facile toglierla... qualche suggerimento? Grazie! **Sebastiano**
>
> > Per riuscire a pelare facilmente i pomodori, fai una croce col coltello sul fondo dei pomodori e mettili per pochi secondi in acqua bollente. Vedrai che dopo la pelle si toglie in un momento. ;) **Sabina**
> >
> > Per favore qualcuno può dirmi come non piangere mentre affetto le cipolle? **Vanessa**
> >
> > Cara Vanessa, per non piangere mentre affetti le cipolle bagna spesso la lama del coltello sotto un getto di acqua corrente. Funziona! **Marianna**
>
> Vi do una dritta: perché la macedonia di fragole sia più succosa e saporita, aggiungete qualche goccia di aceto balsamico al normale condimento di zucchero e limone. **Ennio**
>
> > Grazie Ennio, davvero gustose le fragole! Anch'io ho un consiglio che vi può interessare: perché l'odore dell'aglio non rimanga sulle mani, aggiungete un cucchiaino di caffè in polvere al sapone di marsiglia prima di lavarle. **Adriano**

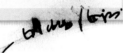

B. E tu? Conosci qualche trucco da usare in cucina? Oppure vuoi conoscerne qualcuno? Parlane con i tuoi compagni.

curiosità

L'importanza del caffè in Italia non riguarda solo la scelta della miscela, ma anche la preparazione. Per questo è fondamentale usare bene la moka. Quando è nuova, ad esempio, prima di preparare il caffè da servire, bisogna metterla in funzione un paio di volte solo con l'acqua e poi con del caffè macinato fresco o già usato. In questo modo la moka prende il sapore del caffè.

C. Adesso leggi i consigli della sezione "Sapevi che...?" e sottolinea le espressioni di quantità. Poi completa il quadro.

> **MOKA... SENZA SAPONE!**
> La caffettiera non si lava con il sapone: strofina l'interno con una paglietta metallica inumidita con succo di limone e un pizzico di sale, poi risciacqua.
>
> **PAVIMENTI LUCIDI E PULITI** handful.
> Aggiungi all'acqua una manciata di sale grosso e qualche cucchiaio di aceto. Attenzione, non utilizzare sul marmo, potrebbe rovinarsi!
>
> **IL POTERE SGRASSANTE DELL'ACETO** apple
> Mescola due bicchieri d'acqua con uno di aceto di mele. Ottimo per i vetri, ma anche per la cucina e il bagno.
>
> **LIMONE: UN BUON ALLEATO** rust. sprinkled
> Mezzo limone cosparso con il sale sarà ottimo per pulire le pentole: elimina ruggine e calcare. limescale
> Aggiungi un po' di succo di limone sulle stoviglie unte: lavarle sarà più facile.
> greasy/oily.
>
> **PER IL FORNO? BICARBONATO**
> Contro le tracce di unto e grasso spargete all'interno del forno abbondante bicarbonato con una spruzzata d'acqua calda e lasciate agire per circa 12 ore. Poi sfregate con una spugna umida.

QUANTITÀ DETERMINATA	QUANTITÀ NON DETERMINATA
un pizzico	....
....	....
....	....
....	....
....	....

3. ME LO MANGIO IO!

 A. Leggi la conversazione tra Carlo e Mila e individua i verbi accompagnati da pronomi. Sai qual è l'infinito corrispondente?

Mila: Tesoro, che ci mangiamo stasera?

Carlo:

Mila: Funghi porcini!! Buoni!! E come ce li mangiamo? :-D

Carlo: Ce li mangiamo?? Eh eh no cara mia, me li mangio tutti io! ;-P

Mila: Egoista! ;-) Neanche uno?? :-(

Carlo: E va bene! Uno solo però ;-)

Mila: Spiritoso! Possiamo fare un bel risotto...

Carlo: Veramente avevo pensato di farli con la polenta.

Mila: Buona!! E ci beviamo un bel vinello rosso?

Carlo: Certo che ce lo beviamo!

FORME VERBALI	INFINITO
ci mangiamo	mangiarsi
....	....
....	....
ce lo beviamo	....
....	bersi
....	....

 B. Osserva di nuovo le forme verbali del punto A e completa il quadro.

PRONOME RIFLESSIVO	PRONOME DIRETTO	VERBO
ci	/	mangiamo
me	li	mangio
....	....	....
....	....	....
....	....	....

C. Leggi la seconda parte della conversazione. In che modo esprimono la necessità di comprare qualcos'altro? Conosci altri modi per dirlo?

Mila: Ok, allora dopo passo in enoteca. Un buon vino rosso ci vuole proprio con funghi e polenta!

Carlo: Ti dispiace andare anche all'alimentari? Così prendi qualche formaggio.

Mila: Eh sì, anche i formaggi ci vogliono con questo menù ;-) E che altro occorre?

Carlo: Beh, già che ci siamo, prendi anche dei salumi. Quelli occorrono sempre ;-P

 D. E tu quale piatto avresti preparato con i funghi porcini?

stra tegie — L'osservazione della lingua in contesto ti aiuta a rafforzare la conoscenza che hai delle strutture linguistiche e a farne un uso consapevole.

1. I FERRI DEL MESTIERE

A. Ascolta la conversazione sulla crostata di visciole e indica di quali utensili hanno bisogno per prepararla.

traccia 28

mestolo frusta

colino

recipiente ✓ mattarello

grattugia

mixer

pentola spatola tortiera

padella

tagliere

B. E tu di quali utensili non puoi fare a meno in cucina? Fai una lista con quelli che usi di più e spiega al tuo compagno a cosa servono.

- Allora io uso tantissimo il mixer, la teglia e il termometro da cucina...
- A cosa servono la teglia e il termometro?

- Dunque, la teglia serve per cucinare al forno, di solito è a forma di rettangolo. E il termometro serve per controllare la temperatura della carne mentre cucini, ad esempio.

2. NON SOLO PANE

Ecco alcuni prodotti che in Italia si usano al posto del pane: li conosci? Prova ad abbinare i nomi alle immagini. Sai di quali zone sono tipici?

friselle focaccia grissini

piadina taralli

taralli

① ② ③ ④ ⑤

piadine

DARE ISTRUZIONI

Per certi tipi di istruzioni, come ricette di cucina o spiegazioni per il funzionamento di un oggetto, si possono utilizzare l'imperativo, coniugato alla 2ª persona plurale, o l'infinito:

Pelate e *lavate* le carote con acqua fredda.
Pelare e *lavare* le carote con acqua fredda.

In entrambi i casi, se la frase è affermativa, il pronome si unisce al verbo.

Pelate le carote e *lavatele* con acqua fredda.
Pelare le carote e *lavarle* con acqua fredda.

Se la frase è negativa, con il verbo all'imperativo il pronome può precedere o unirsi al verbo.
*Lavate le patate, ma non **le pelate** / **pelatele***.

Se la frase è negativa, con il verbo all'infinito il pronome si unisce al verbo.
*Lavare le patate, ma non **pelarle***.

I CONNETTIVI TEMPORALI

PER COMINCIARE
in primo luogo
innanzitutto
all'inizio
prima

PER CONTINUARE
poi
allora
in seguito
dopodiché
a questo punto

PER INDICARE CONTEMPORANEITÀ
intanto
nel frattempo *in meantime.*

PER CONCLUDERE
infine
alla fine

ESPRIMERE UN FINE, UNO SCOPO

Per + infinito *in order to ...*
*Aggiungete un po' di zucchero alla salsa di pomodoro **per eliminare** l'acidità.*
Perché + congiuntivo
*Perché il risotto **sia** più saporito, aggiungete un po' di Parmigiano o Grana Padano.*

ESPRIMERE NECESSITÀ

Per il tiramisù **ci vuole** il mascarpone.
Per il tiramisù **ci vogliono** i savoiardi.
Per la ricetta tradizionale della carbonara **occorre** il guanciale.
Per la ricetta tradizionale della carbonara **occorrono** gli spaghetti.

ALCUNI USI DELLA FORMA RIFLESSIVA

Alcuni verbi che normalmente non sono riflessivi posso essere usati con questa forma per enfatizzare che l'azione è compiuta dal soggetto e per renderli più espressivi.

*Che fame! Adesso **mi mangio** un piattone di pasta.* ⟶ *big plate*
*Chi **si è mangiato** l'ultima fetta di torta?*
*Che dici, **ci beviamo** questo Chianti?*
***Ti sei letto** un libro di 500 pagine in un giorno?!*
***Vi comprate** la macchina nuova? Che bello!*

PRONOMI + VERBI RIFLESSIVI

Il gelato **me lo** mangio io!
Sai che questo vino non mi piace, **te lo** bevi tu!
La relazione **se la** legge Mauro e poi ci spiega tutto.
Di pasta quanta **ce ne** mangiamo? 100 gr a testa?
Ragazzi, **ve la** bevete una birra con noi?
Non comprare il gelato ai bambini, **se lo** comprano da soli.

1. Cosa ti serve per preparare il tuo piatto preferito?

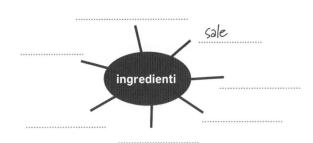

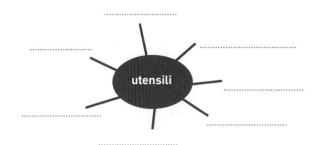

2. Cosa fai per preparare il tuo piatto preferito?

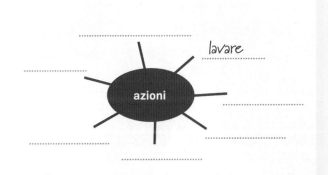

3. Indica le quantità possibili per questi prodotti.

sale: ....

....

vino: ....

....

limone: ....

....

farina: ....

....

rosmarino: ....

....

Suoni e lettere

traccia 29

Ascolta le seguenti frasi e ripetile facendo attenzione a come le parole si legano tra loro.

1. In primo luogo lavate le verdure.
2. Te lo bevi un buon caffè insieme a me?
3. In seguito aggiungete mezzo bicchiere di vino.
4. Hai fatto le lasagne? Me le mangio tutte io!
5. A questo punto unite la salsa di pomodoro.
6. Per rendere la carne più saporita, aggiungete delle spezie.
7. Nel frattempo cuocete la pasta.

PER IL RISOTTO CI VUOLE LA CIPOLLA, NON L'AGLIO!

1. ARTE E CUCINA

www.cesaremarretti.com

traccia 30

A. Ascolta la presentazione di due chef italiani e appunta gli elementi che caratterizzano i due stili di cucina. Quale ti sembra più interessante?

NADIA SANTINI

stile di cucina: ....
....
....
....
....
....

CESARE MARRETTI

stile di cucina: ....
....
....
....
....
....

traccia 31

B. Adesso leggi gli ingredienti di questi due piatti e ascolta come si preparano. Poi prova a scrivere le due ricette.

Immagine gentilmente concessa da Cesare Marretti

Flan di Grana con asparagi e ravanelli

3 uova
200 gr di panna fresca
150 gr di Grana grattugiato
100 gr di ravanelli
150 gr di asparagi
olio extravergine di oliva
sale

Foie gras con pesche e salsa al passito italiano

300 gr di foie gras extra
30 gr di burro
40 gr di frullato di pesca
1 rametto di rosmarino
vino bianco aromatico - *passito*
8 fettine di pesca
pepe e qualche goccia di aceto balsamico

C. Adesso che sai qualcosa sulla filosofia di cucina di Nadia Santini e Cesare Marretti, sapresti dire a quale dei due appartiene ciascuna ricetta del punto B? Parlane con un compagno.

- *Penso che il Foie gras sia di ...*
- □ *Dici?*
- *Sì, perché il suo stile è...*

D. Quale/i chef preferisci? Perché? Presentalo/i ai tuoi compagni e dai informazioni sullo stile di cucina, i ristoranti in cui lavora/lavorano, ecc.

2. SIAMO TUTTI CHEF!

Il nostro progetto

A. A gruppi. Dovete creare il blog gastronomico della classe su cui condividere ricette, prodotti tipici e/o di stagione, trucchi, consigli, notizie, ecc. Scegliete il formato di blog che più vi piace, potete servirvi di WordPress o Blogspot:

▸ scegliete uno stile (cucina tradizionale, innovativa, fusion, vegetariana, ecc.)

▸ decidete come organizzare i contenuti (quante e quali rubriche avrà il blog)

▸ scegliete come illustrare le ricette (fotografie, video, disegni, ecc.)

• Che ne dite di creare un blog di cucina vegetariana?
▫ Sì, però ci vuole uno stile un po' particolare perché si differenzi dalle altre proposte...
○ Proponiamo una cucina vegetariana-fusion allora!
• Buona idea! Dai, allora pensiamo ai contenuti da proporre...

B. Adesso preparate i contenuti per la vostra proposta di blog e ricordate che per le ricette dovrete fornire ingredienti, fasi di preparazione e immagini.

• cucina vegetariana-fusion
• rubriche: le nostre ricette
            prodotti di stagione
            i nostri trucchi
            lo chef del mese
            novità in cucina
• fotografie e video (ricette), fotografie (prodotti)

Ricette

idee

trucchi

notizie...

Per gli amanti delle verdure!

C. Infine presentate il vostro blog ai compagni, valutate tutte le proposte e decidete come volete impostare il blog della classe.

D. Adesso che avete deciso come creare il blog della classe, caricate un po' per volta i contenuti e mantenetelo aggiornato con le vostre proposte.

Il piacere della buona tavola

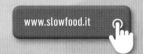

www.slowfood.it

Slow Food® promuove educa tutela

Il manifesto dello slow food

1 Questo secolo è nato, sul fondamento di una falsa interpretazione della civiltà industriale, sotto il segno del dinamismo e dell'accelerazione: mimeticamente, l'uomo inventa la macchina che deve sollevarlo dalla fatica ma, al tempo stesso, adotta ed eleva la macchina a modello ideale e comportamentale di vita. È accaduto così che, all'alba del secolo e giù giù, si siano

5 declamati e urlati manifesti scritti in stile sintetico, "veloce", all'insegna della velocità come ideologia dominante. [...] Giunti alla fine del secolo non è che le cose siano molto mutate, anzi, la fast-life si è rinchiusa a nutrirsi nel fast-food. Contro coloro, e sono i più, che confondono l'efficienza con la frenesia, proponiamo il vaccino di una adeguata porzione di piaceri sensuali assicurati, da praticarsi in lento e prolungato godimento. Da oggi i fast-food vengono evitati

10 e sostituiti dagli slow-food, cioè da centri di goduto piacere. In altri termini, si riconsegni la tavola al gusto, al piacere della gola. [...] Se poi imbarbariti dallo stile di comunicazione dominante, si reclamassero gli slogan a tutti i costi, certo non mancherebbero: *a tavola non si invecchia*, per esempio, sicuro, tranquillo, sperimentato da secoli di banale buon senso. Oppure: *lo slow-food è allegria, il fast-food è isteria*.

15 Sì, lo slow-food è allegro! Ecco, noi siamo per la tartaruga, anzi, per la più domestica lumaca, che abbiamo scelto come simbolo di questo progetto. È infatti

20 sotto il segno della lumaca che riconosceremo i cultori della cultura materiale e coloro che amano ancora il piacere del lento godimento. La

25 lumaca slow.

Da Il manifesto dello slow food

1. Riassumi i punti principali del manifesto dello slow food. Sei d'accordo? Aggiungeresti qualcosa? Nel tuo paese esiste qualcosa di simile allo slow food?

Il bollito misto del capitano Simonini

1 Ricordo tavolate, se non liete almeno
compunte, dove i buoni padri
discutevano sull'eccellenza di un
bollito misto che il nonno aveva fatto
5 apprestare.
Ci volevano almeno mezzo chilo di
muscolo di manzo, una coda, culaccio,
salamini, lingua di vitello, testina,
cotechino, gallina, una cipolla, due
10 carote, due coste di sedano, una manciata di prezzemolo. Il tutto lasciato cuocere per tempi diversi,
secondo il tipo di carne. Ma, come ricordava il nonno e padre Bergamaschi approvava con energici
cenni del capo, appena collocato il bollito sul vassoio di portata, occorreva spargere una manciata
di sale grosso sulla carne e versarvi alcuni mestoli di brodo bollente, per farne risaltare il sapore.
Poco contorno, salvo qualche patata, ma fondamentali le salse, vuoi mostarda d'uva, salsa di rafano,
15 mostarda alla senape di frutta, ma sopratutto (il nonno non transigeva) il bagnetto verde: una
manciata di prezzemolo, quattro filetti d'acciuga, la mollica di un panino, un cucchiaio di capperi, uno
spicchio d'aglio, un tuorlo d'uovo sodo. Il tutto finemente tritato, con olio d'oliva e aceto.

Da *Il cimitero di Praga* di Umberto Eco (© Bompiani)

curiosità

La Cucina Italiana *è un famoso mensile italiano di gastronomia e cultura alimentare. La rivista nasce per valorizzare e divulgare le ricette tradizionali dell'arte culinaria italiana; nello stesso tempo, però, vengono incoraggiati cambiamenti dietetici nell'alimentazione popolare proponendo soluzioni gastronomiche innovative ed economiche. Il suo punto di forza è la cucina in redazione: tutti i piatti sono ideati e preparati da chef, quindi fotografati e infine testati dal direttore e dal suo staff per verificare la rispondenza fra aspetto e gusto, tecnica di cottura e risultato finale.* La Cucina Italiana *offre ai suoi lettori nuovi spunti gastronomici che attinge dalla tradizione italiana, valorizzando i prodotti del territorio e il concetto di stagionalità, senza però trascurare le nuove esigenze alimentari e le cucine etniche ampiamente diffuse anche in Italia.*

© La Cucina Italiana Srl

2. La letteratura italiana è ricca di opere che fanno riferimento alla gastronomia:
ne conosci qualcun'altra?

Comprensione orale

	nome della prova	parti della prova	tipologia di esercizi	durata	punteggio
CILS	Test di ascolto	4	• scegliere una delle quattro proposte per ogni informazione (scelta multipla) • indicare quali affermazioni sono presenti nell'audio	20 minuti	40
CELI	Comprensione di testi orali	3	• scegliere una delle quattro proposte per ogni informazione (scelta multipla) • indicare quali affermazioni sono presenti nell'audio	20 minuti	30
PLIDA	Ascoltare	2	• abbinare dei testi a delle immagini • scegliere l'opzione corretta per ogni informazione (scelta multipla)	30 minuti	30

Suggerimenti e consigli per la prova

- Leggi prima le domande, ti aiuteranno a cercare nell'audio le risposte che cerchi.

- Negli esercizi che prevedono due ascolti, nel primo cerca di capire il senso generale del testo e poi concentrati sulle affermazioni tra cui devi scegliere.

- Negli esercizi in cui devi abbinare l'audio a un'immagine, osserva con attenzione e soffermati sui particolari, a volte possono essere di grande aiuto.

ESERCIZIO 1

traccia 32

Ascolta la trasmissione telefonica. Poi indica quali informazioni sono presenti nell'audio.

☐ **1.** Le fiabe occidentali e orientali hanno caratteristiche comuni.

☐ **2.** Le fiabe possono cambiare nelle versioni dei vari paesi.

☐ **3.** In alcune versioni Cenerentola è audace e generosa.

☐ **4.** *Le Mille e una notte* è la raccolta di fiabe più antica.

☐ **5.** Alla fine del Settecento Perrault raccolse le fiabe più famose europee.

☐ **6.** Nella raccolta dei fratelli Grimm si trova la fiaba *Il gatto con gli stivali*.

☐ **7.** Il danese Andersen raccolse molte fiabe arricchendole con la sua fantasia.

☐ **8.** Nel *Pentamerone*, Basile raccolse ben cinquanta fiabe in italiano.

☐ **9.** Calvino trascrisse in italiano una raccolta di fiabe di tutte le regioni.

ESERCIZIO 2

traccia 33

Ascolta i dialoghi e indica quale delle tre proposte è quella giusta.
Ascolterai i dialoghi due volte.

1. ☐ **a)** In laguna a Venezia sono riapparsi animali che da tempo
   erano scomparsi.
   ☐ **b)** I fenicotteri e altre specie di uccelli sono apparsi per la
   prima volta in laguna.
   ☐ **c)** A Venezia hanno risolto il problema del passaggio delle
   navi in laguna.

2. ☐ **a)** Alle manifestazioni hanno partecipato studenti e giovani.
   ☐ **b)** Alle manifestazioni hanno partecipato anche operai e
   impiegati.
   ☐ **c)** Gli operai e gli impiegati non hanno ancora partecipato
   alle manifestazioni.

3. ☐ **a)** Gli spazi verdi sono curati e ben mantenuti sia da volontari
   che dal Comune.
   ☐ **b)** Il Comune si disinteressa agli spazi verdi e lascia tutto in
   mano ai volontari.
   ☐ **c)** Il Comune ha già messo in atto una serie di azioni per
   risolvere il problema.

4. ☐ **a)** Sebbene molti gatti randagi siano riportati alle colonie
   d'origine, molti sono in adozione.
   ☐ **b)** Benché siano aumentate le adozioni a distanza, molti
   animali sono ancora soli.
   ☐ **c)** Anche se non sono ancora stati visitati e curati, molti
   animali sono stati adottati.

ESERCIZIO 3

traccia 34

Abbina le azioni che senti alle
immagini corrispondenti.

Autovalutazione

1. Competenze unità 4, 5 e 6	Sono capace di...	Ho delle difficoltà a...	Non sono ancora capace di...	Esempi
comprendere trame di fiabe e opere liriche				
raccontare storie, fiabe e racconti				
parlare delle caratteristiche dei personaggi di fiabe e racconti				
modificare fiabe e racconti tradizionali				
parlare e dibattere su problematiche sociali				
parlare di stili di alimentazione e gastronomia				
dare ricette e consigli in cucina				

2. Contenuti unità 4, 5 e 6	So e uso facilmente...	So ma non uso facilmente...	Non so ancora...
il passato remoto			
i pronomi combinati			
le espressioni temporali della narrazione			
il congiuntivo presente e passato			
i connettivi concessivi: **benché**, **sebbene**, ecc.			
ci vuole / **ci vogliono** e **occorre** / **occorrono**			
la forma riflessiva di alcuni verbi: **mangiarsi**, **bersi**, ecc.			
verbi riflessivi + pronomi			
per + infinito e **perché** + congiuntivo			

Bilancio

Come uso l'italiano	🙂	🙂	😐	☹️
quando leggo				
quando ascolto				
quando parlo				
quando scrivo				
quando realizzo le attività				

La mia conoscenza attuale	🙂	🙂	😐	☹️
della grammatica				
del vocabolario				
della pronuncia e dell'ortografia				
della cultura				

In questo momento i miei punti di forza sono: ....

In questo momento le mie difficoltà sono: ....

Idee per migliorare	in classe	fuori dalla classe (a casa mia, per la strada...)
il mio vocabolario		
la mia grammatica		
la mia pronuncia e la mia ortografia		
la mia pratica della lettura		
la mia pratica dell'ascolto		
le mie produzioni orali		
le mie produzioni scritte		

Se vuoi, parlane con un compagno.

7

IL MONDO CHE VORREI

Il nostro progetto

Realizzare l'albero dei desideri.

STRUMENTI PER IL NOSTRO PROGETTO:

I temi: il civismo; la partecipazione sociale; i comportamenti responsabili; campagne di sensibilizzazione.

Le risorse linguistiche: il congiuntivo imperfetto; il periodo ipotetico della possibilità; esprimere desideri (**vorrei** + infinito, **vorrei che** + congiuntivo imperfetto); i connettivi limitativi e condizionali; intonazione: l'enfasi.

Le competenze:

 comprendere post e commenti di blog e siti internet; comprendere il senso di una canzone d'autore; reperire informazioni in articoli di giornale.

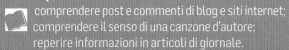 comprendere proposte di comportamento responsabile; reperire e riconoscere informazioni in conversazioni su temi d'attualità.

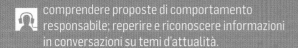 valutare ed esprimere opinioni su civismo e comportamenti responsabili; esprimere desideri e parlare di possibilità.

discutere su opinioni relative a temi d'attualità; scambiare opinioni sul concetto di società civile; discutere su possibilità e conseguenze.

prendere appunti; redigere un componimento.

1 PULIAMO IL MONDO 2014
ESISTE UN INTERO SPAZIO DA RICONQUISTARE. QUELLO DELLA TUA CITTÀ.

Puliamo il Mondo

Puliamo il Mondo

LEGAMB

2

3

PICCOLI GRANDI GESTI

A. Secondo te, quali dei seguenti concetti esprimono queste immagini? Parlane con un compagno.

sostenibilità / sviluppo / imposizione responsabilità / obbligo / civismo / necessità impegno / altruismo / dovere / opportunità

B. Adesso ascolta alcune proposte di comportamento responsabile e appuntale.

traccia 35

....
....
....
....

C. E tu quali piccoli gesti fai per rendere il mondo un posto migliore?

1. UN MONDO MIGLIORE

A. Leggi i post di questi ragazzi e scrivi quali sono i loro desideri.

www.blogdesideri.blog.dif

il blog dei desideri

il futuro che vorrei

Per il futuro mi piacerebbe che tutti gli uomini avessero la libertà di decidere della propria vita seguendo i propri desideri. Vorrei che ognuno fosse artefice e arbitro del proprio futuro, senza che niente e nessuno potesse limitarlo al di fuori della sua volontà. Mi piacerebbe che non esistesse più il concetto di dentro o fuori a una determinata società. Vorrei cancellare le barriere che dividono l'umanità.

Caterina - II liceo

se potessi decidere

Se potessi decidere, per prima cosa abolirei tutte le guerre, anche i più piccoli conflitti. Poi bisognerebbe ridurre al massimo l'inquinamento, perché altrimenti la razza umana si estinguerà. Come terza cosa, mi piacerebbe un mondo in cui al governo ci fossero delle persone davvero interessate ai problemi degli altri. E vorrei anche che nessuno soffrisse più, insomma che non ci fossero né malattie né droghe. Vorrei un mondo senza povertà, in cui tutti avessero la possibilità di fare almeno le cose essenziali, come mangiare e vestirsi. Sarebbe bello anche un mondo senza ignoranza, in cui tutti possono accedere all'istruzione.

Michele - II media

vorrei, vorrei...

Vorrei un mondo di pace e altruismo. Vorrei che tutti si impegnassero per avere un mondo migliore e pulito, che ci fossero più zone verdi e più parchi. Mi piacerebbe che le persone si rendessero conto della fortuna che hanno (soprattutto noi giovani) e che ci fosse più semplicità nell'animo della gente. Vorrei che non esistesse la discriminazione e che tutti avessero gli stessi diritti.

Erica - III media

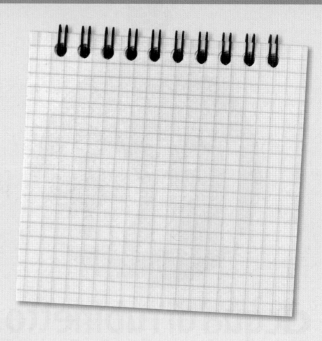

B. Adesso ascolta questa conversazione e indica a quali temi si riferisce.

traccia 36

☐ diritto allo studio	☐ povertà
☐ equilibrio delle risorse	☐ animali in via di estinzione
☐ guerre	☐ schiavitù
☐ infanzia	☐ terrorismo
☐ inquinamento	☐ uguaglianza uomo / donna
☐ medicina	

C. Sei d'accordo con quello che dicono al punto B? Parlane con i tuoi compagni.

- Anch'io divento di malumore dopo che vedo le notizie...
- Sì ma è un nostro dovere informarci!
- Sono d'accordo. Ad esempio, sulla questione povertà...

Il nostro progetto

Il compitino: scrivi una lista di cose che vorresti cambiare per migliorare il mondo e comparala con quella dei tuoi compagni. Avete gli stessi desideri?

2. IL SUPEREROE CHE C'È IN NOI

 A. Leggi questo articolo sui supereroi italiani. Che compiti svolgono?

I supereroi italiani della porta accanto

Da Crotone a Bergamo le «imprese» del Guardiano, Linx, Entomo, Power Man, Carontes e Red Sin.

Powerman

A Bergamo c'è il Guardiano e a Treviso Linx. Nella Capitale opera Power Man mentre in Toscana compare spesso Cuore Nero, a Isernia si vede spesso Batman che qualcuno sognerebbe come sindaco se fosse davvero capace di riportare l'ordine in città. I supereroi italiani attrezzati per combattere ladruncoli, topi d'auto, graffitari fuorilegge, ma anche disposti ad aiutare nonnine a dribblare il traffico, sono un gruppo piuttosto nutrito. Indossano calzamaglie e maschere, portano appresso qualche arma proibita (ma non si va oltre le manette e gli spray irritanti) e sono una ventina circa.

Da Power Man a Carontes

La pattuglia più folta agisce a Roma e il suo leader indiscusso è Power Man, che sfreccia sull'asfalto con uno skateboard. Power Man opera sovente accanto a Red Sin mentre gli altri del drappello sono Carontes, Morte e l'Indagatore dell'Incubo. A Crotone furoreggia Dark Wing, Entomo («l'uomo insetto» e primo dei supereroi tricolore) a Napoli mentre Vicenza e Verona sono monopolio, rispettivamente, del Dottore e di Volpe Nera. A Teramo incombe Ombra Oscura mentre sul lungomare di Taranto è comparso più volte uno Zorro bendato in sella ad un destriero nero.

Come nei fumetti USA

Come i loro ispiratori cartacei a stelle e strisce, siamo davanti a personalità complesse. Spesso diventano «supereroi» dopo essere stati vittima di un crimine, o aver visto i propri familiari subire violenze come furti, rapine, scippi.

Il Guardiano

Zero arresti

Negli archivi dei giornali però non esiste traccia di arresti condotti dai supereroi italiani. Più o meno tutti si limitano a segnalare reati ai centralini delle forze dell'ordine o a fare opera di persuasione quando magari s'imbattono in graffitari che imbrattano i muri o in maleducati che insultano gli autisti dei bus.

Darkwing

Da I supereroi italiani della porta accanto. Quei «giustizieri» tra ronde e volontariato di Alessandro Fulloni (www.corriere.it)

 B. Ecco alcuni commenti che hanno lasciato dei lettori sul sito del giornale. Sono a favore? Parlane con un compagno.

| ENRICO G. | 18 MAGGIO \| 13:21 |

Se vedessi uno di questi supereroi in giro per la mia città, gli darei una mano. Sono stanca di tanta delinquenza!

| MARIANNA | 18 MAGGIO \| 15:43 |

Se i supereroi vestissero in modo diverso (cioè senza la maschera e la calzamaglia), sarebbero più credibili...

| LOREDANA TRANI | 19 MAGGIO \| 11:05 |

Se Polizia e Carabinieri avessero più mezzi a disposizione, non ci sarebbe bisogno dei supereroi.

| SILVER SILVESTRO | 19 MAGGIO \| 21:34 |

Se la gente collaborasse di più, staremmo tutti meglio. Sentirsi parte della società è molto positivo.

 C. E tu cosa ne pensi? Come dovrebbero partecipare i cittadini al bene della comunità?

• *La gente dovrebbe essere meno egoista e...*

1. SE FOSSI DIO...

www.giorgiogaber.it

A. Leggi queste strofe tratte dalla canzone *Io se fossi Dio* di Giorgio Gaber.
Cosa vuole esprimere con queste immagini? Parlane con un compagno.

> Io se fossi Dio
> non mi farei fregare dai modi furbetti della gente
> non sarei mica un dilettante
> sarei sempre presente.
> Sarei davvero in ogni luogo a spiare
> o meglio ancora a criticare
> appunto cosa fa la gente.
> [...]
> Io se fossi Dio
> non mi interesserei di odio e di vendetta
> e neanche di perdono
> perché la lontananza è l'unica vendetta
> è l'unico perdono.
> E allora
> va a finire che se fossi Dio
> io mi ritirerei in campagna
> come ho fatto io.

☐ un dato certo	☐ un'opinione
☐ una possibilità	☐ un fatto
☐ una convinzione	☐ un desiderio
☐ un'ipotesi	☐ un obbligo

curiosità

Giorgio Gaber è uno dei maggiori rappresentanti della canzone d'autore italiana, ma Gaber non è stato attivo solo in ambito musicale: ha infatti lavorato anche per il cinema e il teatro. Insieme al suo collaboratore Sandro Luporini, è stato l'iniziatore del Teatro canzone, un genere espressivo legato alla teatralità, alla parola e alla musica che prevede un'alternanza di parti cantate e recitate.

B. Osserva la struttura dei versi della canzone e completa il quadro.

CONDIZIONE	CONSEGUENZA
	non mi farei fregare
....	non sarei mica un dilettante
	sarei davvero in ogni luogo

Il nostro progetto

Il compitino: e tu cosa faresti se fossi Dio? Scrivi un componimento basandoti sul testo di Gaber. Pensa a come interpretarlo: può essere recitato o cantato.

C. Nella canzone compare un tempo verbale nuovo: l'imperfetto del congiuntivo. Individua le forme e osserva in quale parte della frase viene utilizzato.

D. Infine prova a tradurre i primi quattro versi della canzone nella tua lingua. Usi strutture molto diverse da quelle dell'italiano?

strategie La traduzione può essere uno strumento molto utile per confrontare le strutture di due lingue e comprenderne meglio l'uso.

2. LE STELLE DI SAN LORENZO

 A. Ecco dei desideri espressi la notte di San Lorenzo. Leggili e completa il quadro.

Vorrei trovare un lavoro stabile.

Vorrei che le cose cambiassero.

Mi piacerebbe che i governi facessero qualcosa in più per l'ambiente.

Mi piacerebbe essere più altruista.

Vorrei che mio figlio trovasse un lavoro.

Mi piacerebbe fare qualcosa in più per l'ambiente.

Vorrei cambiare.

Mi piacerebbe che la gente fosse più altruista.

Vorrei consumare meno energia.
Vorrei **che** la gente consumasse meno energia.
Mi piacerebbe piantare un albero.
Mi piacerebbe **che** la gente .... alberi.

B. Osserva nuovamente i desideri del punto A e le frasi del quadro al punto B. Con un compagno, prova a formulare la regola.

C. È la notte di San Lorenzo e vedi delle stelle cadenti. Esprimi quattro desideri, scrivili su dei foglietti e poi appendili in bacheca.

curiosità

La notte del 10 agosto è molto comune festeggiare San Lorenzo osservando il cielo. Molti italiani passano la nottata in un luogo all'aperto, sulla spiaggia o in un parco, per vedere al meglio le stelle cadenti, ben visibili in questo periodo dell'anno. Secondo la tradizione, ogni stella cadente avvistata corrisponde a un desiderio. Nella tradizione popolare, le stelle sono dette "lacrime" o "fuochi" di San Lorenzo, perché ricordano il martirio del santo, avvenuto il 10 agosto del 258 d.C. Il santo fu bruciato su una graticola ardente.

3. SCELTE RADICALI

traccia 37

A. Ascolta questa conversazione e indica quali commenti senti.

Io mollerei tutto se avessi abbastanza soldi da parte.	
Io non lo farei, a meno che non fossi obbligata.	
Io vivrei così solo nel caso che il clima fosse sempre mite.	
A me piacerebbe vivere in piena libertà, senza che ci fossero problemi però!	

Io vivrei isolato a condizione che ci fosse accesso a internet.	
Io ci proverei, tranne che avessi problemi di salute.	
Io non vivrei così neanche se fossi matto.	

B. Rileggi i commenti del punto A e prova a completare il quadro inserendo le frasi che indicano condizione o limitazione.

CONDIZIONE	Io mollerei tutto se avessi abbastanza soldi da parte ....
LIMITAZIONE	....

C. Adesso che hai completato il quadro al punto B, individua gli elementi della frase che secondo te esprimono una condizione o una limitazione. Poi confronta con un compagno.

D. Infine di' se tu rinunceresti alle comodità per una vita più naturale. A che condizioni e con quali limitazioni?

strategie Utilizzare la lingua per esprimere idee personali aiuta ad appropriarsi delle strutture con maggiore efficacia.

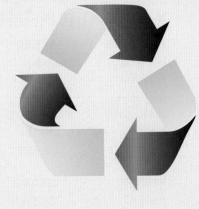

1. UNA RACCOLTA CONSAPEVOLE

A. Quanto sai sulla raccolta differenziata? Indica quali di questi oggetti e materiali sono riciclabili (R) e quali non riciclabili (NR).

☐ acciaio	☐ imballaggi	☐ lampadine	☐ spazzolini da denti
☐ tessuti	☐ alluminio	☐ collant	☐ cocci di ceramica
☐ carta	☐ plastica	☐ cartone	☐ posate in plastica
☐ vetro	☐ legno	☐ pneumatici	☐ carta plastificata	☐ CD / DVD

B. Nel tuo paese si fa la raccolta differenziata? Secondo te è utile? Parlane con i tuoi compagni.

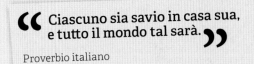

> « Ciascuno sia savio in casa sua, e tutto il mondo tal sarà. »
>
> Proverbio italiano

2. SOCIETÀ CIVILI

A. Quali dei seguenti elementi sono, secondo te, dei criteri per valutare se una società è civile? Parlane con un compagno e, per ognuno, fate degli esempi concreti. Aiutatevi con il dizionario o con internet.

- Beh, secondo me la pulizia è un criterio importante: una società civile fa la raccolta differenziata, ha tanti cassonetti...
- E la gente li usa! Perché il rispetto e l'educazione sono fondamentali!

pulizia   decoro urbano   solidarietà   umanità   educazione

sicurezza   rispetto   infrastrutture   servizi   accessibilità

B. Ti sembrano sufficienti i criteri del punto A o vorresti aggiungerne qualcuno? Scrivi quali aspetti dovrebbe possedere una società veramente civile.

IL CONGIUNTIVO IMPERFETTO

PARLARE	AVERE	SENTIRE	CAPIRE
parlassi	avessi	sentissi	capissi
parlassi	avessi	sentissi	capissi
parlasse	avesse	sentisse	capisse
parlassimo	avessimo	sentissimo	capissimo
parlaste	aveste	sentiste	capiste
parlassero	avessero	sentissero	capissero

👁 I verbi come *capire*, *finire*, ecc., nella coniugazione del congiuntivo imperfetto non presentano -**isc**-.

ESSERE	STARE	DARE	FARE	DIRE	BERE
fossi	stessi	dessi	facessi	dicessi	bevessi
fossi	stessi	dessi	facessi	dicessi	bevessi
fosse	stesse	desse	facesse	dicesse	bevesse
fossimo	stessimo	dessimo	facessimo	dicessimo	bevessimo
foste	steste	deste	faceste	diceste	beveste
fossero	stessero	dessero	facessero	dicessero	bevessero

ESPRIMERE DESIDERI

Volere, piacere, desiderare, ecc. al condizionale presente
+ **infinito**
Si usa questa forma quando il soggetto della frase secondaria coincide con quello della principale.
Vorrei inquinare di meno. (io)
Ci piacerebbe renderci più utili. (noi)
Silvia desidererebbe piantare un albero. (Silvia)

Volere, piacere, desiderare, ecc. al condizionale presente
+ **che** + **congiuntivo imperfetto**
Si usa questa forma quando il soggetto della frase secondaria **non** coincide con quello della principale.
Vorrei **che** *i paesi* **inquinassero** *di meno.* (io / i paesi)
Ci piacerebbe **che** *la gente* **si rendesse** *più utile.*
    (noi / la gente)
Silvia desidererebbe **che** *i bambini* **piantassero** *un albero.* (Silvia / i bambini)

IL PERIODO IPOTETICO DELLA POSSIBILITÀ

CONDIZIONE:
se + congiuntivo imperfetto
Se stessimo più attenti,
Se fossimo più responsabili,
Se potessi,

CONSEGUENZA:
condizionale presente
inquineremmo meno.
le cose andrebbero meglio.
aiuterei i supereroi.

I CONNETTIVI LIMITATIVI

Esprimono una limitazione, un'eccezione:
Io non glielo direi, **a meno che** non fosse necessario.
Giorgio non lo farebbe, **tranne che** si trovasse in una situazione disperata.
Io lo farei **senza che** tuo padre se ne accorga.

I CONNETTIVI CONDIZIONALI

Introducono una condizione necessaria:
Se potessi, partirei subito per l'Africa con una ONG.
Li ho avvisati **nel caso che** arrivassi in ritardo.
Francesco ha partecipato al progetto **a condizione che** mandassero lui a coordinarlo.

1. Completa le seguenti mappe mentali secondo quello che pensi.

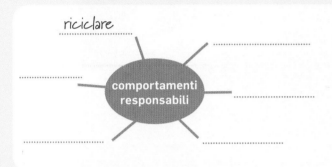
riciclare

comportamenti responsabili

inquinamento

problematiche da risolvere

2. Completa le seguenti frasi secondo quello che pensi.

a. Vorrei ....

b. Mi piacerebbe che ....

c. Se potessi, ...

d. .... nel caso che ....

e. .... a meno che ....

f. Vorrei che ....

g. Se ....

h. Mi piacerebbe ....

Suoni e lettere

A. Leggi le seguenti frasi ad alta voce e sottolinea le parole che marchi di più.

1. Se ci fosse più civismo, vivremmo tutti meglio.
2. Non lo farei mai, a meno che mi obbligassero.
3. Vorrei che ci fossero pari opportunità per tutti.
4. Dovresti fare la raccolta differenziata senza che te lo ripetessi ogni giorno.
5. Mi piacerebbe collaborare con una ONG.
6. Se fossimo più responsabili, ci sarebbero meno problemi.

traccia 38

B. Adesso verifica se la tua lettura coincide con la registrazione.

1. IPOTESI E CONSEGUENZE

traccia 39

A. Leggi questa notizia e poi ascolta la conversazione. Di quali vantaggi e svantaggi parlano?

NON PIÙ SOLITUDINE

A partire dal prossimo anno, nelle città più popolose, si cominceranno a costruire dei quartieri ad uso esclusivo degli anziani. Potranno viverci solo persone a partire dai 75 anni, ma saranno comunque ammesse visite di familiari e amici più giovani. Oltre a trovare un ambiente molto più tranquillo e rilassato, sicuramente adatto a chi vuole godere del meritato riposo, disporranno di servizi e infrastrutture fatti ad hoc, come ad esempio centri culturali che offriranno attività per favorire le relazioni sociali e per mantenere attiva la mente. Inoltre non ci saranno barriere architettoniche e una fitta rete di trasporto pubblico.

B. E tu cosa ne pensi? Quali sarebbero le conseguenze di una scelta del genere? Parlane con un compagno.

• Mah, forse non è un'idea tanto assurda... se esistessero questi quartieri, le persone anziane avrebbero degli ottimi servizi...
▫ Non sono per niente d'accordo perché...

C. Cosa succederebbe in questi casi? Scegli due tra questi temi e parlane con i tuoi compagni.

> Le centrali nucleari vanno in pensione

> Il futuro in cucina sono i cibi liofilizzati

> Tra dieci anni niente più petrolio

> Tutti vestiti uguali grazie alla globalizzazione

> La plastica lascia il posto al vetro

> Alle nuove generazioni non si insegnerà più a leggere e a scrivere: ci penseranno i computer

2. L'ALBERO DEI DESIDERI

A. Realizzerete l'Albero dei desideri della classe.
Cosa si potrebbe fare per rendere il mondo un posto
migliore? Fai una lista delle cose che cambieresti.

B. Adesso confronta la tua lista con quella dei
tuoi i compagni e spiega perché cambieresti le
cose che hai appuntato.

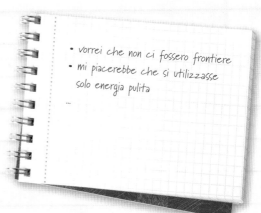

• vorrei che non ci fossero frontiere
• mi piacerebbe che si utilizzasse
solo energia pulita
...

• Se non esistessero più frontiere, saremmo tutti uguali
e quindi non ci sarebbero differenze sociali...

C. Scegliete i desideri che rispondono
alle necessità della società in cui
viviamo o che propongono delle soluzioni
originali per creare un mondo migliore.
Poi scriveteli su dei bigliettini colorati e
decorate l'albero dei desideri della classe.

Gesti significativi

M'illumino di meno

1 L'iniziativa, finalizzata alla sensibilizzazione al risparmio energetico, è nata nel 2005 per iniziativa della trasmissione

5 *Caterpillar* di Rai Radio 2. Il nome si ispira ai celebri versi di *Mattina* di Giuseppe Ungaretti ("M'illumino / d'immenso") ed è organizzata intorno al 16 febbraio, giorno in

10 cui ricorre l'entrata in vigore del Protocollo di Kyoto. La campagna invita a ridurre al minimo il consumo energetico, spegnendo il maggior numero

15 di dispositivi elettrici non indispensabili. Inizialmente era rivolta ai soli cittadini, ma è stata a poco a poco accolta con successo da singoli Comuni e in seguito dalla

20 Presidenza del Consiglio dei Ministri con il patrocinio del Ministero dell'Ambiente. Nel 2008 Hans-Gert Pöttering, presidente del Parlamento europeo,

25 ha ufficialmente riconosciuto l'iniziativa come "un evento che ha un valore simbolico e un effetto tangibile".

1. Conosci altre campagne di sensibilizzazione che coinvolgono attivamente i cittadini? Secondo te sono utili? Presentane una ai compagni.

caterpillar.blog.rai.it/milluminodimeno/

FAI, voce del verbo FARE.
Tutti i giorni lavoriamo per tutti, anche per te.

Dal 1975, grazie alla generosità di cittadini, aziende e istituzioni illuminate, il FAI - Fondo Ambiente Italiano salva e riapre al pubblico monumenti e luoghi di natura unici del nostro Paese; coinvolge milioni di persone al rispetto del paesaggio e dei Beni culturali e svolge un'azione di difesa intervenendo attivamente sul territorio.

Fai anche tu un regalo all'Italia, sostieni il FAI tutto l'anno: bastano 10 centesimi al giorno per fare la tua parte e ricevere in cambio tanti vantaggi riservati agli iscritti FAI.

Scopri come iscriverti al FAI su **www.fondoambiente.it**

2. Chi tutela il patrimonio culturale e naturale nel tuo paese? Secondo te si fa abbastanza? Proponi delle soluzioni.

8
ULTIME NOTIZIE

Il nostro progetto

Realizzare il telegiornale della classe.

STRUMENTI PER IL NOSTRO PROGETTO:

I temi: i mezzi di comunicazione e d'informazione; alcune tipologie testuali; la radiotelevisione in Italia; i quotidiani italiani più importanti.

Le risorse linguistiche: discorso diretto e indiretto; le interrogative indirette; il condizionale passato (forme); l'intonazione: lo stile giornalistico.

Le competenze:

comprendere e reperire informazioni in notizie, articoli di giornale; riconoscere tipologie testuali differenti.

comprendere e reperire informazioni in notizie di cronaca e attualità.

riferire notizie e fatti.

parlare dei mezzi di comunicazione e informazione.

riportare notizie e fatti; scrivere le battute di un fumetto.

1 Bollette più leggere e incentivi per liberare la crescita delle Pmi

2 Sul sito dell'Invalsi una foto porno. Denunciati tre giovani hacker

Santarcangelo, in **3** scena in piazza

④ Kenya, nuovi attacchi. Il governo: faide locali

A. Leggi questi titoli di articoli e indica a quale sezione del giornale corrispondono.

☐ politica   ☐ spettacoli
☐ cronaca   ☐ economia
☐ esteri   ☐ sport
☐ cultura

B. Adesso ascolta le notizie del radiogiornale e verifica le risposte del punto A.

traccia 40

C. Come ti informi? Quali sono le sezioni di un giornale che ti interessano di più?

⑤ Il nuovo volto dei musei: cambiano tariffe e orari

⑥ Riforme, ecco l'accordo tra Pd e Fi Senato delle regioni, cala la quota di sindaci

⑦ MILAN, IL MONDIALE ESALTA I ROSSONERI: BELLE PARTITE E QUOTAZIONI IN RIALZO

1. LEGGENDE METROPOLITANE

A. Leggi queste notizie un po' curiose riportate da un giornale digitale. Poi inventa un titolo per ciascuna.

NOTIZIE CURIOSE

CRONACA | **POLITICA** | **CULTURA** | **SPORT** | **GOSSIP**

CASOREZZO (MILANO) - Si erano intrufolati in una villetta e stavano per mettersi al "lavoro". Purtroppo per loro sono stati pizzicati e aggrediti dal proprietario di casa, ex campione europeo di boxe thailandese. È successo mercoledì sera a Casorezzo, in provincia di Milano. I due ladri erano entrati nell'abitazione di Walter G., titolare di una palestra che, quando ha visto i due malviventi, non ci ha pensato due volte: "Ho preso il primo che mi è capitato sotto tiro e l'ho buttato giù dal primo piano" ha raccontato. Poi la precisazione: "Non l'ho inseguito per non passare nel torto, ma ho contattato subito i carabinieri che sono poi giunti sul posto".

TORINO - Ci sono ladri e ladri... L'uomo di 44 anni arrestato in provincia di Torino per furto di libri, il cui valore ammonta a quasi 40 mila euro, non è un ladro qualunque. Assetato di cultura, ma evidentemente a corto di soldi, ha rubato centinaia di libri di valore dalle biblioteche. A dare il via alle indagini è stata la segnalazione di un'universitaria che, avendo la necessità di consultare alcuni manoscritti per la redazione della sua tesi di laurea, si è accorta che in biblioteca mancavano alcuni testi. Dopo la denuncia effettuata ai carabinieri di Casalborgone, i militari sono riusciti a risalire al responsabile, un frequentatore morboso di tutte le biblioteche della zona. Le perquisizioni effettuate nell'abitazione del 44enne hanno portato al rinvenimento di 3200 testi, stipati in tutte le stanze.

ROMA - Che ci fanno due tonni di cento chili su via Tiburtina alle 4 di notte? È quanto si saranno chiesto i pochi passanti e i vigili urbani impegnati nel servizio notturno. A lasciarli in strada un camion di una pescheria che ha perso il proprio carico all'altezza di un incrocio.
Il camion è poi tornato sul luogo e ha recuperato il carico. La polizia locale informa di aver allertato l'ispettore dell'Asl per verificare che i tonni possano effettivamente essere ancora messi in commercio.

HAVERING (LONDRA) - Mucche al posto dei giardinieri. L'idea anti crisi arriva dal municipio di Havering, quartiere nell'est di Londra. Secondo quanto riporta l'Evening Standard, questa iniziativa permetterà di risparmiare fino a 300 mila sterline (circa 375 mila euro) in dieci anni, riducendo così i costi per i custodi dei parchi e per l'uso dei trattori tosaerba. Per questo compito è stata scelta una particolare razza bovina, la red poll, originaria delle contee di Suffolk e Norfolk, nota per il suo temperamento molto pacifico e per non avere corna, rendendola così ideale per questo tipo di "lavoro". Melvin Wallace, assessore alla cultura di Havering, ha spiegato che in questa maniera il municipio vuole essere all'avanguardia nell'utilizzo di nuovi metodi per migliorare la biodiversità e proteggere la natura.

B. Ultimamente hai letto o sentito qualche notizia un po' strana? Raccontala ai tuoi compagni.

2. COMUNICHIAMO

A. Osserva questi documenti senza leggerne il contenuto e prova a dire se sono formali o informali.

Ezio: Lu, siamo già arrivati! Ti aspettiamo in piazza. Non fare tardi ;-)

Gentile Professoressa Antonella Borgato,

è con grande piacere che La invitiamo a presentare la conferenza di apertura del 3° Incontro per Insegnanti d'Italiano, che si terrà il giorno 9 novembre p.v. presso la Facoltà di Lettere e Filosofia dell'Università di Padova, piazza Capitaniato 7 (Padova).

In attesa di incontrarLa personalmente, Le porgo i miei più cordiali saluti.

Dott.ssa Francesca Coltraro
Dipartimento d'Italiano Lingua Straniera
www.cdl-edizioni.com

A: a.serra@mangiaben.it

Oggetto: Riunione

INVIA SALVA COME BOZZA ANNULLA   ALLEGA FILE

Cara Alessandra,

in allegato ti mando i documenti per la riunione di domani con il dott. Tizzano e la dott.ssa Ferrari, così puoi fare le copie per tutti. Sai se il dott. D'Angelo è già rientrato dal suo viaggio in Cina? Sarebbe importante che ci fosse anche lui, visto che tratteremo proprio un aspetto che riguarda la sua sezione. Sarebbe il caso che venisse anche il sig. Fumagalli come responsabile del reparto di montaggio. Hai prenotato la sala riunioni?
Non sono in ufficio, ma mi trovi al cellulare.

A domani, grazie!
Sara

Sara Molinari
Responsabile Vendite
MANGIABEN S.r.l.
Macchinari per il settore dell'alimentazione
Via Marconi, 35 33100 Udine
Tel. / Fax +39 0432 436521
Cell. +39 347 333 112

Tanti auguri nonna!
Dario e Alice
(i tuoi nipoti preferiti...)

PAOLA,
RICORDATI DI ANDARE A
RITIRARE IL VESTITO IN
LAVANDERIA!

MAMMA

La S. V. è invitata all'inaugurazione della **Galleria d'arte Artemisia**.

Venerdì 19 settembre ore 19:00
via della Pace 10, Viterbo

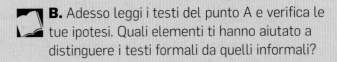
B. Adesso leggi i testi del punto A e verifica le tue ipotesi. Quali elementi ti hanno aiutato a distinguere i testi formali da quelli informali?

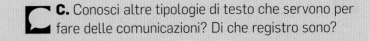
C. Conosci altre tipologie di testo che servono per fare delle comunicazioni? Di che registro sono?

1. SULLE TRACCE DEL CRIMINE

A. Leggi il fumetto e poi il rapporto investigativo. Quali cambiamenti noti tra i due testi? Prova a completare il quadro.

RAPPORTO INVESTIGATIVO:
GIORNO 4 - CONVERSAZIONE TELEFONICA

L'uomo ha chiesto alla complice se era riuscita a fare il lavoro quel giorno, la donna ha affermato che aveva fatto un ottimo lavoro e che aveva preso anche i diamanti. Poi l'uomo le ha chiesto se l'aveva vista qualcuno. Lei ha risposto che aveva incrociato una donna quando usciva. L'uomo le ha domandato se conosceva quella donna e la sua complice gli ha risposto che era una collega, la signora Roccella. Allora l'uomo le ha chiesto se la sua collega aveva visto il bottino e la donna gli ha assicurato che l'aveva nascosto bene nella sua borsetta. L'uomo le ha detto che era meglio non fidarsi, di andare da lui il giorno dopo e che avrebbero deciso come controllarla. La donna ha risposto che era d'accordo e lui ha concluso che l'aspettava lì alle dieci.

DISCORSO DIRETTO	DISCORSO INDIRETTO
io / tu	lui / lei
oggi	....
questa	....
la mia	....
ti	....
venire	....
domani	....
qui	....

B. Rileggi il fumetto e prova a trovare il significato delle seguenti espressioni. Aiutati con il dizionario o con internet.

lavoretto coi fiocchi → *ottimo lavoro*

bel colpo → ....

malloppo → ....

2. INCONTRI SEGRETI

A. Leggi la seconda parte del fumetto e poi le note dell'investigatore privato.
Osserva come cambiano i tempi verbali e completa il quadro.

L'uomo ha chiesto alla donna se sarebbe andata a ritirare il pacchetto. Le ha detto che doveva vedere un informatore. Lei gli ha risposto che aveva già preso il pacchetto.

Lui le ha domandato perché non aveva rispettato le sue istruzioni e lei ha risposto che il pacchetto non era al sicuro. L'uomo ha detto che andava bene e ha aggiunto che voleva parlare con lo Sfregiato. Le ha chiesto di mettersi in contatto con lui.

Lei gli ha risposto che si sarebbero visti il giorno dopo al solito posto e di andare lì alle otto.

"Vieni a casa mia alle 9."
→ Ha detto di andare a casa sua alle 9.

"Verrà anche Marta al cinema."
→ Ha detto che anche Marta sarebbe venuta al cinema.

"Ho già comprato il pane."
→ Ha detto ....

"La biblioteca era chiusa."
→ Ha detto ....

"Vorrei fare una passeggiata."
→ Ha detto ....

"Andiamo a fare la spesa."
→ Ha detto ....

B. Adesso osserva le domande che vengono fatte nel fumetto. Come vengono riportate nelle note?

Il nostro progetto

Il compitino: leggi cos'altro ha annotato l'investigatore che segue le indagini e ricostruisci le battute dei due malviventi.

La donna ha detto che lo Sfregiato era disponibile e che sarebbe stato in città fino a martedì. L'uomo ha chiesto se aveva parlato direttamente con lui e la donna ha risposto che aveva parlato con un informatore fidato. L'uomo ha chiesto dove lo avrebbe incontrato e la donna gli ha detto di andare ai magazzini del porto il giorno dopo alle 10.

3. NON È VERO MA CI CREDO

A. Leggi l'articolo e sottolinea i verbi che si possono utilizzare al posto di *dire*. Poi completa il quadro.

"Tesoro, esco con le mie amiche. Farò tardi." Una vecchia scusa.

A Gela, un'avvenente donna poco più che trentenne e madre di due bambini ha detto al marito che sarebbe uscita con un'amica e avrebbe fatto tardi. Il marito le ha suggerito di portarsi dietro il cagnolino così lui sarebbe stato tranquillo con i bambini. Lei ha accettato ed è uscita. Quando è arrivata in centro, la donna ha legato l'animale a una fioriera davanti al bar del suo amante. Senza cena pronta, l'ignaro marito (un operaio di circa 40 anni) ha proposto ai bambini di comprare pizze e arancini. Uno dei bambini ha suggerito di andare in un fast food ubicato a pochi metri dal bar-alcova. All'arrivo del gruppetto il cane legato alla fioriera si è messo ad abbaiare insistentemente perché ha riconosciuto i padroni, che si sono chiesti cosa ci faceva lì fuori il loro cane. Allora, il marito è entrato nel bar di fronte e ha visto la moglie e il barista in atteggiamento sospetto. Ha pregato la moglie di uscire e poi ha dato un pugno al barista e lo ha ammonito di stare alla larga da sua moglie. Intanto la donna ha raccontato ai figli che era entrata nel bar per bere un bicchiere d'acqua e che il cane non poteva entrare nel locale. Quando è uscito, il marito le ha domandato dov'era la sua amica e la donna ha risposto che all'ultimo momento aveva avuto un imprevisto e che non era venuta. Ha poi sostenuto che era stato il barista a farle delle avances.

dire quello che si deve fare e come → ....

dire di sì → ....

fare una proposta → ....

invitare a fare qualcosa → ....

consigliare autorevolmente → ammonire

riferire fatti e parole → ....

fare un'osservazione → ....

dare spiegazioni → ....

B. Adesso ascolta questi messaggi e indica quale dei seguenti verbi è il più adeguato per ciascuno.

traccia 41

○ pregare
○ avvisare
○ ringraziare

○ proporre
○ consigliare
○ ordinare

Il nostro progetto

Il compitino: secondo te cos'è successo dopo tra la moglie e il marito dell'articolo? Insieme a un compagno scrivi com'è finita la storia.

PAROLE UTILI

affermare	replicare
confermare	ribadire
dichiarare	esprimere

IL QUOTIDIANO

 A. Leggi le definizioni di alcune parti del giornale e abbinale al nome corrispondente.

1. Nome di una pubblicazione giornalistica periodica: ....

2. Articolo posto a sinistra scritto dal direttore di un giornale e che esprime la linea del giornale: ....

3. Articolo pubblicato su una colonna in alto a destra: ....

4. È il primo articolo del giornale, tratta l'argomento più importante: ....

5. Articolo che occupa la sezione centrale, dedicata ad altre notizie importanti: ....

6. Articolo che ricopre la zona inferiore, riservata a notizie minori: ....

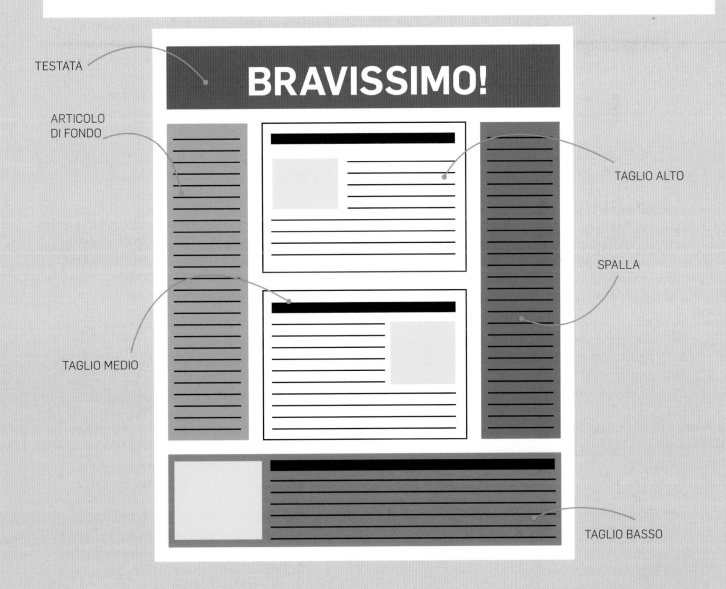

 B. La distribuzione delle parti di un giornale italiano è la stessa che nel tuo paese? Parlane con un tuo compagno.

IL DISCORSO DIRETTO

Riporta direttamente le parole pronunciate da una o più persone. Quando è scritto, il discorso diretto è racchiuso tra due virgolette.

(Dice / Ha detto:) "Ti aspetto al solito posto."
(Risponde / Ha risposto:) " Va bene."

Se il testo è illustrato, il discorso diretto si trova all'interno dei fumetti.

 Ti aspetto al solito posto.

 Va bene.

IL DISCORSO INDIRETTO

Riporta indirettamente le parole pronunciate da una o più persone.

Dice / Ha detto che mi aspetta al solito posto.
Rispondo / Ho risposto che va bene.

Il discorso indiretto è generalmente introdotto dal verbo *dire* e da altri verbi dichiarativi come *domandare, chiedere, rispondere,* ecc.

I CAMBIAMENTI NEL DISCORSO INDIRETTO

Quando si passa dal discorso diretto a quello riportato (indiretto), è necessario cambiare alcuni elementi come il soggetto:

"**Vado** al mercato." (1ª persona)
Dice / ha detto che **va** *al mercato.* (3ª persona)

i pronomi:
"**Mi** piace molto leggere."
Dice / ha detto che **gli / le** *piace molto leggere.*
Mi *accompagna Mario.*
Dice / ha detto che **lo / la** *accompagna Mario.*

i possessivi:
"**Mio** figlio è molto studioso." (1ª persona)
Dice / ha detto che **suo** *figlio è molto studioso.*
(3ª persona)

i dimostrativi:
"**Questo** ristorante è molto buono."
Ha detto che **quel** *ristorante è molto buono.*

gli avverbi:
"**Ieri** sono andata al cinema."
Ha detto che **il giorno prima** *era andata al cinema.*

"*I nonni arriveranno* **domani**."
Ha detto che i nonni sarebbero arrivati **il giorno dopo**.
"**Oggi** *lavoriamo fino a tardi.*"
Hanno detto che **quel giorno** *lavoravano fino a tardi.*
"**Qui / qua** *si vive bene.*"
Ha detto che **lì / là** *si viveva bene.*

👁 I dimostrativi e gli avverbi cambiano quando il discorso indiretto è introdotto da un verbo al passato. Se è introdotto da un verbo al presente, rimangono invariati:
"**Questo** *ristorante è molto buono.*"
Dice che **questo** *ristorante è molto buono.*

I TEMPI VERBALI NEL DISCORSO INDIRETTO

Quando il discorso indiretto è introdotto da un verbo al presente (o al passato prossimo con valore di presente) non ci sono cambiamenti nei tempi verbali tra il discorso originale e quello riportato.
"**Devo** *vedere un informatore.*" (presente)
Dice / ha detto che **deve** *vedere un informatore.*
    (presente)
"**Ho fatto** *un lavoretto con i fiocchi.*" (passato prossimo)
Dice / ha detto che **ha fatto** *un lavoretto con i fiocchi.*"
    (passato prossimo)

Quando il discorso indiretto è introdotto da un verbo al passato si verificano dei cambiamenti nei tempi verbali tra il discorso originale e quello riportato.
"**Vado** *al mercato.*" (indicativo presente)
Ha detto / disse che **andava** *al mercato.*
    (indicativo imperfetto)
"**Andavo** *al mercato tutte le mattine.*"
    (indicativo imperfetto)
Ha detto / disse che **andava** *al mercato.*
    (indicativo imperfetto)
Sono andato *al mercato.* (passato prossimo)
Ha detto / disse che **era andato** *al mercato.*
(trapassato prossimo)
"**Andrò / vado** *al mercato venerdì.*"
    (futuro semplice / presente con valore di futuro)
Ha detto / disse che **sarebbe andato** *al mercato venerdì.*
(condizionale passato)
"**Vorrei** *uscire.*" (condizionale presente)
Ha detto / disse che **voleva** *uscire / sarebbe uscito.*
    (indicativo imperfetto / condizionale passato)
"**Vai** *al mercato.*" (imperativo)
Ha detto / disse **di andare** *al mercato.* (di + infinito)

LE INTERROGATIVE INDIRETTE

Quando il discorso riportato è una domanda con un interrogativo, si ripete l'interrogativo e si applicano i cambiamenti necessari (tempo verbale, pronomi, avverbi, ecc.).
*"**Quando** parte il treno?"*
*Chiede **quando** parte il treno.*
*Ha chiesto/ disse **quando** partiva il treno.*

Quando non è presente un interrogativo, la domanda riportata è introdotta da un **se**. Si applicano i cambiamenti necessari (tempo verbale, pronomi, avverbi, ecc.).
"È arrivata Michela?"
*Domanda **se** Michela è arrivata.*
*Ha domandato / domandò **se** Michela era arrivata.*

IL CONDIZIONALE PASSATO

AUSILIARE *AVERE* O *ESSERE* AL CONDIZIONALE SEMPLICE	+ PARTICIPIO PASSATO DEL VERBO
avrei	
avresti	
avrebbe	parlat**o**
avremmo	
avreste	
avrebbero	
sarei	
saresti	andat**o/a**
sarebbe	
saremmo	
sareste	andat**i/e**
sarebbero	

Completa le seguenti mappe mentali:

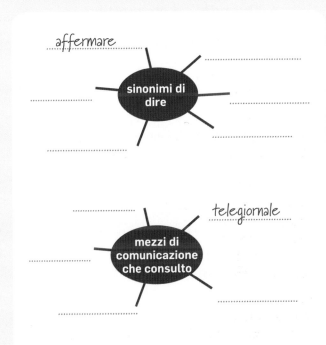

affermare

sinonimi di dire

telegiornale

mezzi di comunicazione che consulto

Suoni e lettere

traccia 42

Ascolta la notizia e assegna un numero da 1 a 5 a ciascuno dei seguenti aspetti. Quali vi sembrano i più rilevanti?

intonazione	
pronuncia	
chiarezza	
dati forniti	
precisione	

E SAI COSA MI HA DETTO? CHE IO AVREI FATTO LA PARTE DI MIMI. E ALLORA IO HO RISPOSTO...

1. LA REGOLA DELLE 5 W

 A. Ricostruisci la notizia basandoti sulle seguenti informazioni. Confronta la tua versione con quella di un compagno.

stra tegie

1. **Cosa:** moglie dimenticata in una stazione di servizio
2. **Chi:** moglie e marito
3. **Dove:** area di servizio Nure Sud, autostrada A21 Piacenza-Cremona
4. **Quando:** sabato mattina
5. **Perché:** distrazione o gesto premeditato?

Per redigere un testo di tipo giornalistico è di grande aiuto la cosiddetta Regola delle 5 W, che sta alla base dello stile giornalistico anglosassone. Si tratta di uno schema che facilita l'organizzazione delle informazioni che devono essere presenti in una notizia, sia scritta che orale:
- what (cosa)
- who (chi)
- where (quando)
- when (dove)
- why (perché)

A partire da questi dati basilari, si amplia l'argomento con dettagli rilevanti per la comprensione dei fatti (come, quanto, con quali mezzi, ecc.).

 B. Adesso ascolta queste testimonianze per verificare e integrare la tua versione dei fatti.

traccia 43

C. Scegli una notizia che ti interessa, può essere un po' curiosa e bizzarra. Prepara lo schema delle 5 W per il tuo compagno che dovrà ricostruire i fatti. La sua versione corrisponde all'originale?

1. **Cosa:** ....
2. **Chi:** ....
3. **Dove:** ....
4. **Quando:** ....
5. **Perché:** ....

curiosità

Il film Pane e Tulipani *di Silvio Soldini (1999) inizia proprio con una moglie dimenticata in un'area di servizio. Le vicende della pellicola si sviluppano però in tutt'altra maniera: la protagonista approfitta della "dimenticanza" per cambiare vita.* Pane e Tulipani *ha ottenuto un notevole successo, tra i vari riconoscimenti, nel 2000 ha ottenuto il David di Donatello per differenti categorie: miglior film, miglior regia, migliori attori protagonisti, migliori attori non protagonisti, migliore fotografia e miglior sonoro.*

2. DENTRO LA NOTIZIA

A. Per realizzare il telegiornale della classe dovrete pensare al formato che volete applicare. Dividetevi in gruppi e seguite questi punti:

▸ stile del telegiornale (tradizionale, dinamico, innovativo, ecc.);
▸ struttura del telegiornale (quante e quali rubriche);
▸ giornalisti coinvolti (speaker, inviati, corrispondenti, ecc.).

B. Preparate una versione demo per presentare la vostra proposta ai compagni. Riferirete le notizie principali e ne approfondirete una. Ricordatevi di rispettare la Regola delle 5 W.

C. Stabilite i ruoli di ciascuno, come in una vera redazione. Quindi passate alla realizzazione: registrate il vostro telegiornale come dei professionisti. Sarà sufficiente un telefono cellulare o una macchina fotografica. Se volete, su internet avete a disposizione dei programmi gratuiti per editare i vostri video.

D. Infine, presentate la vostra proposta ai compagni e poi scegliete tutti insieme il formato da applicare per il telegiornale della classe.

RAI: Radiotelevisione italiana

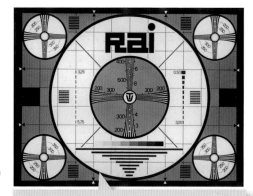

Lo storico monoscopio della RAI (1955-1961)

In Italia la prima trasmissione radiofonica fu mandata in onda il 1° gennaio 1925 dalla Uri (Unione Radiofonica Italiana). All'Uri seguì l'Eiar (Ente italiano audizioni radiofoniche), costituito nel 1927. Lo sviluppo dell'Eiar fino all'inizio della Seconda guerra mondiale fu molto rapido: nel 1931 possedeva 31 impianti trasmittenti radiofonici. Nel 1944 la denominazione della società cambiò e divenne RAI (Radio Audizioni Italia). A metà degli anni '50 l'Italia entrò nel pieno boom economico. Le trasmissioni televisive ufficiali della RAI iniziarono il 3 gennaio 1954, ma già da due anni a Torino e a Milano si producevano e venivano trasmessi programmi sperimentali, sceneggiati, telegiornali e spettacoli di intrattenimento.

In quell'epoca la TV rappresentava una finestra sul mondo che fece conoscere cose mai viste prima, per tanti rappresentò l'uscita dall'isolamento. Fu senza dubbio un fenomeno sociale di portata storica: contribuì addirittura alla diffusione dell'italiano standard.

Inizialmente i programmi duravano quasi quattro ore, la pubblicità non esisteva e venne introdotta con *Carosello* nel 1957. Nel 1961 nacque il secondo canale e nel 1979 la terza rete, che serviva per dar voce alle Regioni, istituite nel 1970. Con il digitale terrestre, la RAI ha ampliato i suoi canali gratuiti con RAI 4 (2008) e RAI 5 (2009), dedicati rispettivamente alla trasmissione di film e serie di culto, e a documentari e reportage.

Logo della RAI usato dal 1988 al 2000

La RAI è una delle più grandi aziende di comunicazione d'Europa, è infatti il quinto gruppo televisivo del continente. È, inoltre, la società concessionaria in esclusiva del servizio pubblico radiotelevisivo in Italia, che, secondo l'articolo 45 del *Testo Unico dei servizi dei media audiovisivi e radiofonici*, deve garantire:

▸ la diffusione di tutte le trasmissioni televisive e radiofoniche di pubblico servizio con copertura integrale del territorio nazionale;

▸ un numero adeguato di ore di trasmissioni televisive e radiofoniche dedicate all'educazione, all'informazione, alla formazione, alla promozione culturale;

▸ la effettuazione di trasmissioni radiofoniche e televisive in tedesco e ladino per la provincia autonoma di Bolzano, in ladino per la provincia autonoma di Trento, in francese per la regione autonoma Valle d'Aosta e in sloveno per la regione autonoma Friuli-Venezia Giulia;

▸ la trasmissione gratuita dei messaggi di utilità sociale ovvero di interesse pubblico che siano richiesti dalla Presidenza del Consiglio dei Ministri;

▸ la trasmissione, in orari appropriati, di contenuti destinati specificamente ai minori.

Logo attuale, in uso dal 2010

1. Nel tuo paese esiste un gruppo radiotelevisivo simile alla RAI? Prepara una breve cronologia per i tuoi compagni spiegando quali funzioni svolge.

www.rai.it

Corriere o Repubblica?

Un manifesto pubblicitario di Adolf Hohenstein del 1898

CORRIERE DELLA SERA

1 È il 5 marzo 1876 quando, in piazza della Scala a Milano, vengono distribuite le prime 15.000 copie del «Corriere della Sera». Allora tutto il giornale era raccolto in due stanze ed era fatto da tre redattori (oltre al direttore Eugenio Torelli Viollier) e da quattro operai.

5 Il quotidiano ottenne successo sin dagli esordi e oggigiorno rappresenta il primo quotidiano italiano per diffusione e il secondo per numero di lettori. Tradizionalmente ha sempre rappresentato una voce indipendente nel giornalismo italiano.

Luigi Albertini, direttore dal 1900 al 1921, creò lo schema della Terza pagina 10 che poi venne adottato da tutti gli altri quotidiani: apertura con l'elzeviro (articolo di critica letteraria o teatrale, o una riflessione erudita su un tema di attualità o di costume), una spalla di varietà, il taglio con corrispondenza dall'estero e in più rubriche e corsivi. Per questa sezione scrissero molte fra le firme più prestigiose della cultura italiana, tra cui Giosuè Carducci, 15 Ada Negri, Gabriele D'Annunzio, Benedetto Croce, Luigi Pirandello, Grazia Deledda e Luigi Capuana.

www.corriere.it

Foto di gruppo scattata nella tipografia della Repubblica in occasione del "numero zero" (5 dicembre 1975)

la Repubblica

1 Il 14 gennaio del 1976 esce a Roma il primo numero de «La Repubblica». Il nuovo quotidiano ottiene subito successo e diventa in breve il maggiore competitore del «Corriere della Sera».

5 Il giornale nasce per iniziativa di Eugenio Scalfari, direttore del settimanale «L'Espresso», e si colloca nell'area della sinistra laica e riformista con la volontà di differenziarsi dalla altre testate che hanno la stessa linea. Vuole infatti essere visto 10 come un "secondo giornale": un quotidiano di approfondimento. Durante i primi due anni di vita il quotidiano crea il proprio pubblico tra la sinistra extraparlamentare e quella riformista. Nel 1996 la direzione della testata viene assunta 15 da Ezio Mauro, che mantiene una linea vicina allo schieramento politico del centro-sinistra.

www.repubblica.it

2. Quali sono i quotidiani più importanti del tuo paese? Conosci la loro storia?

Produzione orale

	nome della prova	parti della prova	tipologia di esercizi	durata	punteggio
CILS	Produzione orale	2	• conversazione faccia a faccia (a partire da un tema proposto dall'esaminatore) • parlato faccia a faccia monodirezionale (a partire da un tema proposto dall'esaminatore)	5 minuti (rispettivamente 2-3 minuti e 1,5 minuti)	12
CELI	Produzione e interazione orale	1	• conversazione (a partire da una foto)	15 minuti	25
PLIDA	Parlare	3	• presentazione • interazione guidata (a partire da una situazione comunicativa proposta dall'esaminatore) • monologo (a partire da un tema, una foto)	10-15 minuti (rispettivamente 1 minuto, 5-7 minuti, 3-5 minuti)	30

Suggerimenti e consigli per la prova

- Ricorda che le prime domande per "rompere il ghiaccio" sono di presentazione, quindi puoi prepararti un po' a casa. Pensa a cosa dire di te, dei tuoi gusti, del tuo lavoro, dei tuoi hobby, ecc.

- Osserva attentamente le immagini e leggi bene i testi che ti vengono proposti. Ti sarà utile per poter costruire il discorso quando dovrai sostenere la prova di monologo.

- Fai molta attenzione a quello che dice l'esaminatore o a quello che dice l'altro candidato perché nella parte di conversazione della prova dovrai dimostrare di saper reagire in modo adeguato a quanto ti viene detto dal tuo interlocutore.

ESERCIZIO 1

Rispondi a queste domande "rompighiaccio" in cui racconti di te, dei tuoi interessi, del tuo lavoro, ecc.

- ▸ Come ti chiami?
- ▸ Di dove sei?
- ▸ Perché studi italiano?
- ▸ Con chi vivi?

- ▸ Che lavoro fai?
- ▸ Cosa ti piacerebbe fare?
- ▸ Quali sono i tuoi desideri per il futuro?
- ▸ Cosa ti preoccupa di più al giorno d'oggi?

ESERCIZIO 2

Parla con l'esaminatore o con l'altro candidato di uno dei seguenti argomenti.

 ❶

un problema della tua città che ti preoccupa (traffico, inquinamento, delinquenza, ecc.)

❷

come si potrebbe risolvere il problema della mancanza delle aree verdi nelle città

 ❸

cosa si potrebbe fare per rendere il mondo un posto più vivibile

ESERCIZIO 3

Con l'esaminatore o con l'altro candidato sostieni un dialogo sul seguente fatto.

Hai appena sentito / letto una notizia che ti ha colpito molto.
Racconta di cosa si tratta:
▸ esprimi la tua sorpresa per quello che è successo;
▸ descrivi il fatto e quello che ha detto / scritto il giornalista;
▸ dai la tua opinione.

ESERCIZIO 4

Osserva queste immagini e riporta i dialoghi dei personaggi.

Autovalutazione

1. Competenze unità 7 e 8	Sono capace di...	Ho delle difficoltà a...	Non sono ancora capace di...	Esempi
esprimere desideri per il futuro				
fare ipotesi				
comprendere e parlare di problematiche sociali				
riferire una notizia o un discorso				
riportare messaggi				
discutere su possibilità e conseguenze				
valutare ed esprimere opinioni sul civismo				

2. Contenuti unità 7 e 8	So e uso facilmente...	So ma non uso facilmente...	Non so ancora...
il congiuntivo imperfetto			
vorrei / mi piacerebbe... + infinito e **vorrei / mi piacerebbe**... + **che** + congiuntivo imperfetto			
il periodo ipotetico della possibilità			
i connettivi limitativi: **a meno che**, **eccetto**, ecc.			
i connettivi condizionali: **se**, **a condizione che**, ecc.			
il discorso diretto e indiretto			
il condizionale passato (forma)			

Bilancio

Come uso l'italiano	☺	☺	☺	☹
quando leggo				
quando ascolto				
quando parlo				
quando scrivo				
quando realizzo le attività				

La mia conoscenza attuale	☺	☺	☺	☹
della grammatica				
del vocabolario				
della pronuncia e dell'ortografia				
della cultura				

In questo momento i miei punti di forza sono: ....

In questo momento le mie difficoltà sono: ....

Idee per migliorare	in classe	fuori dalla classe (a casa mia, per la strada...)
il mio vocabolario		
la mia grammatica		
la mia pronuncia e la mia ortografia		
la mia pratica della lettura		
la mia pratica dell'ascolto		
le mie produzioni orali		
le mie produzioni scritte		

Se vuoi, parlane con un compagno.

9

DIAMOCI DENTRO!

Il nostro progetto

Pianificare un'attività sportiva all'aperto.

STRUMENTI PER IL NOSTRO PROGETTO:

I temi: l'attività fisica; lo sport; la salute e il benessere; sportivi italiani; le Olimpiadi in Italia; il Giro d'Italia.

Le risorse linguistiche: il gerundio semplice (azioni contemporanee); la preposizione **da** per esprimere la funzione; alcuni verbi pronominali; il suffisso -**bile**; i prefissi **in**-, **s**-, **dis**-; la concatenzaione (II).

Le competenze:

comprendere articoli sulla funzione dello sport, opuscoli informativi e istruzioni di attività fisiche; reperire informazioni in un'intervista e in schede informative.

comprendere conversazioni sullo sport e informazioni su differenti attività fisiche.

parlare delle attività fisiche che si svolgono e dello sport; dare istruzioni relative ad attività fisiche.

discutere sull'utilità e la funzione dello sport e dei luoghi in cui si praticano attività fisiche.

descrivere uno sport preferito; dare consigli su quale attività fisica praticare.

Gino Bartali e Fausto Coppi

Carolina Kostner

③

Valentino Rossi

NON È SOLO FISICO

A. Conosci gli atleti raffigurati nelle fotografie? Indica quale sport praticano o hanno praticato.

alpinismo ⁴   tennis ⁵   ciclismo ¹

pattinaggio artistico ²   motociclismo ³

B. Ecco alcuni dei valori di cui lo sport è portatore. Mettili in ordine d'importanza e poi parlane con un compagno. Aggiungine altri, se vuoi.

lealtà	spirito di sacrificio
rispetto	impegno *commitment*
correttezza *alsent favus*	tenacia
coraggio *bravery*	senso di appartenenza *belonging*
disciplina	determinazione

C. Adesso ascolta la registrazione e indica a quali valori fanno riferimento.

traccia 44

④

Reinhold Messner

⑤

Francesca Schiavone

1. LO SPORT È BUSINESS

A. Leggi queste affermazioni: con quale o quali sei d'accordo? Parlane con un compagno.

Lo sport è divertimento.	Lo sport è fatica.

Lo sport ci fa vivere meglio.	Lo sport è una moda.	Lo sport non è per tutti.

Sport e capitalismo sono legati.	Non c'è più etica nello sport.	Lo sport è una scuola di valori.

B. Leggi questo articolo: quali temi del punto A vengono trattati?

CORPORE SANO

HOME | **OPINIONI** | FORUM | CONTATTI

LO SPORT, UNA MACCHINA PER FAR SOLDI

La concezione dello sport come attività che coinvolge le abilità umane di base fisiche e mentali, con lo scopo di esercitarle costantemente e così di migliorarle, per utilizzarle successivamente in maniera proficua, suggerisce che lo sport è probabilmente antico quanto lo sviluppo dell'intelligenza umana. Sono una persona innamorata di tutto ciò che significa lo sport... Ma sono anche molto confuso perché non capisco più che cosa significa lo sport ai nostri giorni. Un "movimento" piacevole che si fa volentieri o una macchina per far soldi? Tutti questi miliardi di euro che girano nel mondo sportivo mi spaventano. Purtroppo l'agonismo esasperato da fattori economici e la ricerca del successo e di record impossibili con qualunque mezzo fornisce dei modelli sbagliati e inadeguati per dei giovani che vogliono avvicinarsi allo sport.

Mi ricordo che quando ero bambino il concetto di sport era un altro e non perdeva di vista il suo scopo e i suoi principi. Per me, l'atleta è un vero sportivo quando: pratica lo sport per passione e disinteressatamente; segue i consigli di coloro che hanno esperienza, accetta senza obiezioni le decisioni della giuria e dell'arbitro, vince senza presunzione e perde senza amarezza, preferisce perdere piuttosto che vincere con mezzi sleali ed anche fuori dallo stadio e in qualunque azione della sua vita si comporta con spirito sportivo e lealtà.

Lo spettatore è un vero sportivo quando: applaude il vincitore, ma incoraggia il perdente; non si lascia andare a inutili pregiudizi sociali o nazionali, sa trarre utili lezioni dalla vittoria e dalla sconfitta, si comporta in maniera dignitosa durante una gara tanto dentro quanto fuori dello stadio.

La realtà è nota a tutti, ma è bene ricordare sempre che lo sport deve essere considerato un mezzo di trasmissione di valori universali e una scuola di vita che insegna a lottare per ottenere una giusta ricompensa e che aiuta alla socializzazione e al rispetto tra compagni ed avversari.

Lo sport significa divertimento e soprattutto si deve praticare per piacere personale e per i benefici di una vita e una mente sana.

Adattato da *Lo sport ai nostri giorni: affare o...* (www.vocelibera.net)

C. E per te cos'è lo sport? Parlane con i tuoi compagni.

2. DIVERTIMENTO E SALUTE

 A. Leggi questo opuscolo e poi completa il testo con i seguenti enunciati.

- Aiuta la circolazione
- Contrasta il mal di schiena
- Potenzia il cervello
- Stimola l'autostima
- Combatte lo stress
- Migliora il rapporto di coppia
- Previene l'osteoporosi

Scuola di danza Armonia

BALLA CHE TI PASSA!

Tango, salsa, bachata, swing, boogie-woogie, valzer, samba... Lezione dopo lezione, tonificati, perdi peso (si bruciano da 200 a 600 calorie all'ora), modella i tuoi muscoli. E allontana ansia, osteoporosi, crisi di coppia, timidezza...

Iscriviti ai nostri corsi e scopri i molteplici benefici della danza per il corpo e la mente:

1. ...., migliorando la respirazione e accrescendo la produzione di endorfine.

2. .... Danze come tango e salsa possono aiutare ad accrescere l'affinità.

3. .... Il ballo aiuta a superare la timidezza. E insegna a darsi degli obiettivi e a raggiungerli con gradualità.

4. .... La danza tiene sveglio il cervello per ricordare le sequenze coreografiche, e allena i riflessi.

5. .... Tenere in esercizio le articolazioni preserva la densità ossea. Per questo il ballo è indicato a tutte le età.

6. .... e si ha anche un lieve calo della pressione (se provocata da stress). Quando si sottopone l'organismo a uno sforzo adeguato e prolungato, il cuore potenzia la sua resistenza.

7. .... spesso procurato da posture scorrette, sedentarietà e stress. Eseguendo bene i movimenti, si impara a tenere il busto eretto, la testa alta, le spalle in fuori.

 B. E tu quali attività fai per sentirti bene?

3. ANDARE O NO IN PALESTRA?

 A. Cosa pensi delle palestre? Secondo te sono dei luoghi che stimolano lo spirito sportivo e la vita sana? Parlane con i tuoi compagni.

B. Adesso ascolta queste testimonianze e appunta le idee fondamentali di ciascuna. Confermi la tua opinione?

traccia 45

Il nostro progetto

Il compitino: quali attività ti piacerebbe fare in palestra? Con un compagno prepara una breve lista di proposte.

1. UN PO' DI STRETCHING

 A. Leggi le istruzioni e abbinale alle immagini corrispondenti.

1. In piedi, inclinare il busto lateralmente sollevando il braccio opposto.

2. In piedi, piegare una gamba flettendo il ginocchio e distendere l'altra gamba.

3. Appoggiarsi alla parete con un piede avanti e uno dietro mantenendo i talloni bene aderenti al suolo.

4. Sedersi con le gambe incrociate, mantenendo il busto eretto. Spingere le ginocchia verso terra.

5. Supino, flettere una gamba avvicinando il ginocchio al petto. Aiutarsi con le mani.

6. Supino, spalle ben appoggiate a terra, mantenere una gamba distesa. Piegare l'altra avvicinandola al suolo.

7. A terra, a carponi, porre le mani in avanti appoggiandole sul pavimento. Espirare e inspirare.

 B. Nelle istruzioni del punto A compaiono due tempi verbali: l'infinito e il gerundio. Individua le forme e osserva la funzione che svolgono. Poi completa il quadro.

per dare delle istruzioni si usa:

....

per esprimere un'azione contemporanea si usa:

....

 C. Osserva di nuovo le forme del gerundio del punto A. Qual è la posizione dei pronomi?

Il nostro progetto

Il compitino: quali esercizi di stretching fai di solito? Spiegane uno al tuo compagno.

2. METTIAMOCELA TUTTA!

A. Un gruppo di amici commenta una partita della Nazionale italiana di pallacanestro. Prova a individuare gli elementi che fanno capire che si tratta di questo sport.

[handwritten: basketball]

Marcella
Portano la nuova uniforme, proprio bella la canotta!

Giuliano
E delle scarpe cosa vogliamo dire? Con quelle salto bene anch'io!

Silvio
Ecco che comincia la partita. Ce ne vuole per batterci! Siamo imbattibili!

Elena
Su forza ragazzi! Mettetecela tutta! Siete i più forti!

Marcella
Noooo! Hai visto com'è caduto Vitale?! Se l'è cercata però!

Giuliano
Io non me ne intendo troppo... però penso che farei meglio di così!

Elena
Ecco il solito che se la tira! Ma dai! Giuliano fammi il piacere, loro sono dei professionisti!
[handwritten: give me a break]

Silvio
Arbitro!?!? Questi sono passi! Su ragazzi dateci dentro!

Giuliano
Il numero 24 dei loro marca da troppo vicino Ferretti! E stattene tranquillo!
[handwritten: Stay calm.]

Silvio
Non l'avrei mai detto... 84 a 64! Che sconfitta... dormiamoci sopra, va!
[handwritten: lets sleep on it]

B. Rileggi i tweet del punto A e trova le forme verbali che corrispondono agli infiniti della colonna di sinistra. Poi abbinali al significato corrispondente.

cercarsela — essere necessario
darci dentro — essere esperto
dormirci sopra — rimanere in una condizione
intendersene — impegnarsi al massimo
mettercela tutta — non pensare più a qualcosa
starsene — essere superbo
tirarsela — mettersi in una situazione di svantaggio
volercene — impegnarsi

C. Adesso osserva il volantino di un negozio di abbigliamento sportivo. Hai capito qual è la funzione della preposizione **da**?

SPORTISSIMO
IL NEGOZIO DEGLI SPORTIVI
Tutto quello che cerchi per il tuo sport

guantoni da boxe

palloni da pallacanestro

scarponi da sci

scarpe da calcio

3. GRINTA E DETERMINAZIONE

A. Quali caratteristiche deve avere un'atleta che si dedica alla scherma? Parlane con un compagno. Poi leggi l'intervista a Valentina Vezzali e confronta la tua opinione con la sua testimonianza.

PAROLE UTILI

concentrazione	precisione
grinta	riflessività
determinazione	intuizione
passione	autocontrollo

Valentina, la campionessa

INTERVISTA A **VALENTINA VEZZALI**, SPECIALITÀ FIORETTO. L'ATLETA ITALIANA PIÙ VINCENTE DELLA STORIA.

Com'è diventata campionessa di scherma?
Come tutti i campioni, con anni di lavoro e tanta tanta passione per quello che ancora oggi è la mia vita.

Qual è la vittoria che le è rimasta più impressa, sia nella vita che nel gioco?
Nella scherma non saprei dire, sono tutte indimenticabili perché tutte volute e sudate... nella vita, mio figlio e la mia famiglia sono sicuramente il successo più importante.

Come mamma, cosa vorrebbe comunicare ai giovani di oggi?
I valori positivi dello sport e della pratica sportiva, soprattutto in età scolare. Lo sport è un esempio di impegno, correttezza, determinazione per il raggiungimento di un obiettivo, rispetto delle regole... tutto quello che poi ci serve anche nella vita.

A tutti coloro che sposano la passione per la scherma, cosa consiglia?
Di non abbandonarla mai e prenderla per quello che è... un bellissimo gioco che dà soddisfazioni inimmaginabili.

La descrivono come invincibile, inattaccabile, combattiva: c'è stata un'avversaria che le ha davvero fatto paura?
Paura no, ma il sano timore agonistico me lo incutono in tante. Del resto nella scherma, dove conta moltissimo il fattore psicologico, puoi davvero vincere o perdere con qualunque avversaria.

Perché, nonostante tutto, si continua a credere nello sport?
Perché è qualcosa di vero. Anche se oggi alcune persone agiscono in modo illogico, sleale e disonesto togliendo ai giovani la certezza che il risultato di un evento sportivo sia davvero l'espressione delle forze in campo.

 B. Rileggi l'intervista e trova gli aggettivi che corrispondono a questi significati. Osserva con attenzione le terminazioni: noti qualcosa di particolare nella forma?

che non si può attaccare →	....
che non si può vincere →	....
che non si può dimenticare →	....
che manca di onestà →	....
che manca di lealtà →	....
che non ha logica →	....
che non si può immaginare →	....

 C. Adesso trova i contrari degli aggettivi del punto B con l'aiuto del dizionario. Osserva le forme: qual è la differenza tra ciascun aggettivo e il suo contrario?

Familiarizzare con la morfologia delle parole, cioè con la loro struttura, aiuta a conoscere meglio il funzionamento di una lingua e, quindi, ad apprendere con più facilità.

A TUTTO SPORT

A. Ecco alcune tra le discipline olimpiche. Abbina le immagini ai nomi e poi inserisci ciascuno sport nella colonna corrispondente.

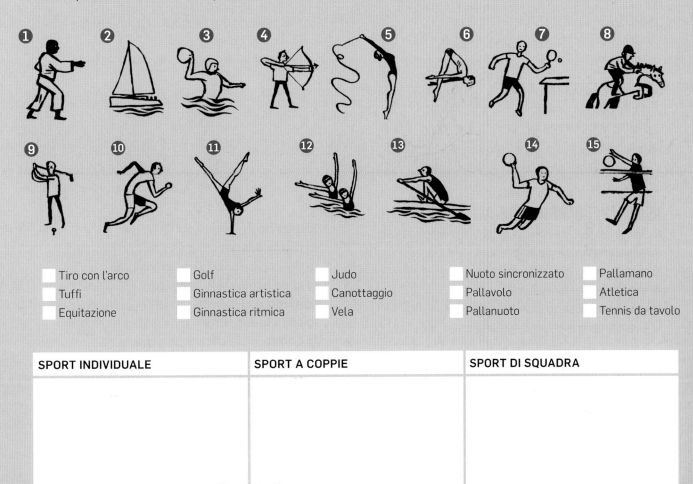

☐ Tiro con l'arco	☐ Golf	☐ Judo	☐ Nuoto sincronizzato	☐ Pallamano
☐ Tuffi	☐ Ginnastica artistica	☐ Canottaggio	☐ Pallavolo	☐ Atletica
☐ Equitazione	☐ Ginnastica ritmica	☐ Vela	☐ Pallanuoto	☐ Tennis da tavolo

SPORT INDIVIDUALE	SPORT A COPPIE	SPORT DI SQUADRA

B. Quale sport preferisci tra quelli del punto A? Scrivi quali sono gli aspetti più interessanti. Aiutati con i seguenti punti.

- ▸ come si pratica (in squadra, individualmente, ecc.)
- ▸ dove si pratica
- ▸ come si caratterizza
- ▸ quali capacità richiede
- ▸ quali capacità sviluppa

curiosità

La "maglia azzurra" è l'uniforme adottata dalla Nazionale italiana in quasi tutte le discipline sportive. Esistono varie ipotesi sulla scelta di questo colore.
Secondo una di queste, l'azzurro sarebbe stato scelto in onore della casa reale italiana, i Savoia. Il "blu Savoia" è, appunto, il colore associato alla dinastia.
Si dice anche che l'azzurro fu scelto per rappresentare il colore del cielo e del mare italiano.
Un'eccezione è rappresentata dall'automobilismo, che utilizza per le auto il cosiddetto "rosso corsa".

IL GERUNDIO SEMPLICE

Si usa per esprimere un'azione contemporanea a quella espressa dalla frase principale.

*In piedi, piegare una gamba **flettendo** il ginocchio.*

I pronomi seguono la forma verbale e formano un'unica parola.

*Portare le ginocchia al petto avvicinando**le** il più possibile con l'aiuto delle braccia.*

and**are** → and**ando**
prend**ere** → prend**endo**
dorm**ire** → dorm**endo**

LA PREPOSIZIONE DA

Si usa per esprimere la funzione di un oggetto, lo scopo a cui è destinato.

*Occhiali **da** nuoto / sole / vista.*
*Tuta **da** sci / ginnastica.*
*Pallone **da** calcio / pallavolo / pallacanestro.*
*Racchetta **da** tennis / sci.*
*Scarpe **da** ginnastica / ballo / trekking.*

ALCUNI VERBI PRONOMINALI

Alcuni verbi assumono un significato diverso quando sono accompagnati da un pronome.

Io tiro = lancio / getto un oggetto
Io me la tiro = sono superbo
Io cerco = sono alla ricerca di qualcosa
Io me la cerco = mi metto in una situazione di svantaggio
Io sto = mi trovo in una posizione / situazione
Io me ne sto = rimango in una condizione

Io intendo = comprendo
Io me ne intendo = sono esperto in qualcosa
Io do = consegno / concedo qualcosa
Io ci do dentro = mi impegno
Io metto = colloco qualcosa
Io ce la metto tutta = mi impegno al massimo
Io dormo = mi riposo con il sonno
Io ci dormo sopra / su = non penso più a qualcosa
Lui / lei vuole = desidera qualcosa
ce ne vuole = è necessario qualcosa

TIRARSELA

me la tiro
te la tiri
se la tira
ce la tiriamo
ve la tirate
se la tirano

CERCARSELA

me la cerco
te la cerchi
se la cerca
ce la cerchiamo
ve la cercate
se la cercano

STARSENE

me ne sto
te ne stai
se ne sta
ce ne stiamo
ve ne state
se ne stanno

INTENDERSENE

me ne intendo
te ne intendi
se ne intende
ce ne intendiamo
ve ne intendete
se ne intendono

DARCI DENTRO

ci do dentro
ci dai dentro
ci dà dentro
ci diamo dentro
ci date dentro
ci danno dentro

METTERCELA TUTTA

ce la metto tutta
ce la metti tutta
ce la mette tutta
ce la mettiamo tutta
ce la mettete tutta
ce la mettono tutta

DORMIRCI SOPRA / SU

ci dormo sopra / su
ci dormi sopra / su
ci dorme sopra / su
ci dormiamo sopra / su
ci dormite sopra / su
ci dormono sopra / su

Il verbo **volercene** si usa alla 3ª persona singolare:

Ce ne vuole di impegno per arrivare alle Olimpiadi!

IL SUFFISSO -BILE

Applicato alla radice del verbo, dà luogo a un aggettivo con il significato di possibilità.

realizzare → realizza**bile** = che si può realizzare
immaginare → immagina**bile** = che si può immaginare
credere → credi**bile** = che si può credere
utilizzare → utilizza**bile** = che si può utilizzare

 realizz**are** → realizz - a - bile → realizz**a**bile
cred**ere** → cred - i -bile → cred**i**bile
restitu**ire** → restitu - i -bile → restitu**i**bile

I PREFISSI NEGATIVI IN-, S-, DIS-

Si aggiungono agli aggettivi, precedendoli, per dare un significato negativo, contrario.

attaccabile → **in**attaccabile
possibile → **im**possibile (**im**- davanti a *p, m, b*)
logico → **il**logico (**il**- davanti a *l*)
responsabile → **ir**responsabile (**ir**- davanti a *r*)
corretto → **s**corretto
onesto → **dis**onesto

Completa le seguenti mappe mentali:

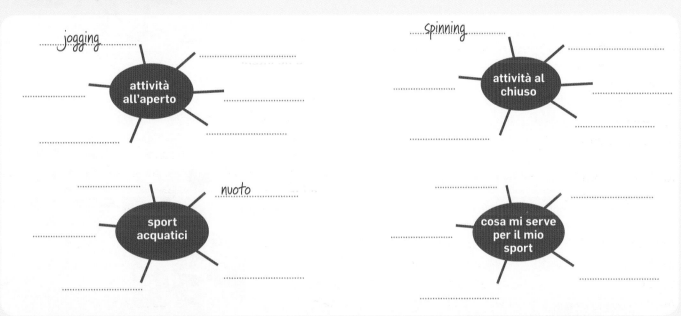

Suoni e lettere

 Ascolta le seguenti frasi e fai attenzione a come si legano le parole tra di loro. Poi ripetile.

traccia 46

1. Sì, Baldelli è un ottimo giocatore, però se la tira troppo!
2. Che bravi questi ragazzi, ce la mettono proprio tutta!
3. Se ci diamo dentro davvero, possiamo vincere.
4. Ma tu te la cerchi proprio! Smettila di giocare così!
5. Sara, domani non venire agli allenamenti. È meglio se te ne stai tranquilla per un giorno.
6. Paolo se ne intende bene di scherma, sa un sacco di cose.

FORZA RAGAZZI, DATECI DENTRO!

1. LO SPORT GIUSTO PER OGNI ETÀ

traccia 47

Ascolta queste informazioni sull'attività fisica adatta a differenti fasce d'età.
Poi dai dei consigli alle persone che hanno scritto sul forum.

salute e movimento

HOME | NOVITÀ | ALIMENTAZIONE | **FORUM**

L'esperto risponde

Anziana attiva

Mia madre è un'ottantenne ancora in forma e il medico le ha consigliato di fare un po' di attività fisica. È una persona che ama stare con la gente, chiacchierare e stare all'aria aperta. Bisogna dire che non ama ballare e che ha un acceso spirito competitivo.

PERSONAL TRAINER

Leonardo

Salve, ho 19 anni, sono alto un metro e 80 quasi e peso 78 kg. Tre anni fa ho perso quasi 20 kg. Tutto questo senza attività fisica. Ho ripreso un po' di peso ma non ho un buon tono muscolare, soprattutto nella zona pancia, fianchi e petto. Che tipo di esercizi posso fare?

PERSONAL TRAINER

Valentina

Ciao a tutti, ho 23 anni sono alta un metro e 58 e peso 45 kg. Sono un po' sottopeso e da qualche settimana ho cominciato ad andare a camminare velocemente, minimo tre volte alla settimana per almeno 45 minuti. Mi sembra poco ma cosa posso fare di diverso tenendo presente che non mi piacciono le attività al chiuso?

PERSONAL TRAINER

2. MUOVITI CHE TI FA BENE!

A. A gruppi. Scegliete una delle seguenti fasce d'età e pensate a un'attività da svolgere all'aria aperta adeguata alle loro caratteristiche:

▸ bambini da 0 a 6 anni;

▸ ragazzi dai 13 ai 16 anni;

▸ anziani (dai 65 anni).

Il nostro progetto

B. Per ogni progetto dovete indicare:

▸ il pubblico a cui è rivolta l'attività;

▸ in cosa consiste l'attività fisica e i vantaggi che comporta;

▸ i giorni in cui si realizzerà l'attività e il luogo (parco, spiaggia, ecc.);

▸ l'abbigliamento adeguato e gli oggetti necessari per lo svolgimento dell'attività (tappettino, cuscini, ecc.).

MUOVITI CHE TI FA BENE!

Il Comune offre la possibilità di svolgere attività fisica gratuita all'aria aperta, con l'obiettivo di promuovere una maggiore consapevolezza sull'importanza del movimento fisico, il benessere e la prevenzione. Le proposte dell'edizione di quest'estate devono essere presentate all'Assessore allo sport.

C. Presentate la proposta al resto della classe. I vostri compagni devono valutare se la proposta risponde alle seguenti caratteristiche:

▸ le attività fisiche sono adeguate ai destinatari;

▸ le proposte sono fattibili tenendo presente il territorio;

▸ le proposte sono interessanti.

Dovranno poi indicare i possibili miglioramenti da apportare prima della presentazione in Comune.

> **La fatica non è mai sprecata: soffri ma sogni**
>
> Pietro Mennea

Le Olimpiadi italiane

Cortina d'Ampezzo 1956

Le prime Olimpiadi organizzate in Italia furono le VII Olimpiadi invernali del 1956. I paesi in gara erano 33 per un totale di 821 atleti. In quell'edizione l'Italia conquistò la medaglia d'oro del bob, specialità doppio. Per la prima volta il medagliere fu vinto dall'Unione Sovietica e l'Italia terminò i Giochi Olimpici all'ottavo posto.

Roma 1960

I Giochi della XVII Olimpiade si tennero a Roma, dal 25 agosto all'11 settembre 1960. Fin dall'inizio del secolo, l'Italia aveva proposto la candidatura della capitale: nel 1904 fu battuta dall'americana St. Louis, nel 1908 l'eruzione del Vesuvio obbligò il governo a rinunciare all'impegno e nel 1944 la guerra impedì che si svolgessero i Giochi. Il ritorno delle Olimpiadi a Roma aveva un forte valore simbolico dato che, come capitale dell'Impero, aveva accolto per secoli i Giochi olimpici. Tuttavia la capitale italiana era povera d'impianti e fu necessario modernizzarla. Tra le nuove opere si realizzarono il velodromo (20.000 spettatori), il Palazzetto dello Sport per le gare di basket (5000 spettatori) e il Villaggio Olimpico per ospitare gli atleti. La fiaccola olimpica arrivò a Roma portata da una staffetta di migliaia di atleti di tutti i paesi. Era sbarcata in Sicilia, proveniente da Olimpia, risalendo lentamente la penisola, accolta dalla curiosità e dall'entusiasmo della gente.

Torino 2006

A 50 anni dall'edizione organizzata a Cortina d'Ampezzo, le Olimpiadi Invernali sono tornate in Italia, a Torino, con la XX edizione, a cui hanno partecipato 80 paesi con un totale di 2508 atleti. La cerimonia di apertura della XX edizione dei Giochi olimpici invernali si è tenuta il 10 febbraio 2006 presso lo Stadio Olimpico di Torino. Con 1,8 miliardi di contatti lo spettacolo è risultato il programma televisivo più visto al mondo nel 2006, vincitore di ben due Emmy Award.

1. Quali sono le discipline sportive olimpioniche in cui è più forte il tuo paese?

Il Giro d'Italia

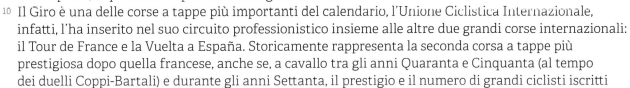

1 Il Giro d'Italia è una corsa maschile di ciclismo su strada a tappe che si svolge annualmente in Italia dal 1909. Occasionalmente il percorso può interessare anche località al di fuori dai confini
5 italiani. Il luogo di partenza generalmente cambia ogni anno, l'arrivo, invece, è a Milano (salvo eccezioni come Napoli, Firenze, Verona, Roma, Brescia e Trieste), città dove ha sede «La Gazzetta dello Sport», il quotidiano sportivo che organizza la corsa.
10 Il Giro è una delle corse a tappe più importanti del calendario, l'Unione Ciclistica Internazionale, infatti, l'ha inserito nel suo circuito professionistico insieme alle altre due grandi corse internazionali: il Tour de France e la Vuelta a España. Storicamente rappresenta la seconda corsa a tappe più prestigiosa dopo quella francese, anche se, a cavallo tra gli anni Quaranta e Cinquanta (al tempo dei duelli Coppi-Bartali) e durante gli anni Settanta, il prestigio e il numero di grandi ciclisti iscritti
15 portarono il Giro ad avere un'importanza pari a quella del Tour.
Il leader della classifica generale indossa ogni giorno la famosa maglia rosa, il colore della «Gazzetta dello Sport»; il miglior scalatore indossa una maglia azzurra (che prima era verde), mentre il primo nella classifica a punti, dal 2010, indossa una maglia rossa (anteriormente di colore ciclamino).
Il record di vittorie è condiviso da 3 ciclisti, ognuno con 5 vittorie: gli italiani Alfredo Binda (tra il 1925
20 e il 1933) e Fausto Coppi (tra il 1940 e il 1953) e il belga Eddy Merckx (tra il 1968 e il 1974).

La famosa salita del Passo dello Stelvio (Alto Adige)

2. Quali manifestazioni sportive si tengono nel tuo paese? Scegli quella che trovi più interessante e presentala.

www.gazzetta.it/Ciclismo/giroditalia/

10

LA MACCHINA DEL FUTURO

Il nostro progetto

Creare un blog di letteratura fantascientifica.

STRUMENTI PER IL NOSTRO PROGETTO:

I temi: i cambiamenti e il progresso nel futuro; la tecnologia; la fantascienza; la fantascienza in Italia.

Le risorse linguistiche: futuro semplice e anteriore (ripasso); verbi con doppio ausiliare; i relativi **il quale, la quale, i quali, le quali; magari, chissà, anzi** e **mica;** i numerali collettivi (**decine, centinaia,** ecc.); l'intonazione: desiderio, dubbio, espressioni rafforzative.

Le competenze:

comprendere articoli sui progressi tecnologici, commenti di forum, trame di film e romanzi e oroscopo.

reperire informazioni in reportage e conversazioni sui cambiamenti futuri e sulla fantascienza.

fare ipotesi sul futuro; raccontare la trama di film e libri.

dibattere sul futuro dell'umanità e della Terra; esprimere opinioni sulla realtà futura.

redigere la trama di un racconto fantascientifico; scrivere previsioni per il futuro.

“ Noi affermiamo che la magnificenza del mondo si è arricchita di una bellezza nuova: la bellezza della velocità. ”

Manifesto del Futurismo

PRIMO CONTATTO

VISIONI FUTURISTICHE

A. Cosa sarà possibile in un prossimo futuro?

mutazioni genetiche

robot e androidi   poteri telepatici

macchine volanti   intelligenza artificiale

ribellione delle macchine

spostamenti spazio-temporali

B. Secondo te come sarà la vita nel futuro? La società e le città avranno un'altra organizzazione?

- Mah, io credo che le società delle varie culture saranno tutte uguali.
- È probabile. E la struttura delle città...

Umberto Boccioni (1882 – 1916):
La città che sale (1910)
La strada entra nella casa (1911)
Stati della mente: quelli che partono (1911)
La risata (1911)
Visioni simultanee (1912)

1. IL FUTURO DELLA TERRA

A. Quando si verificheranno queste predizioni?

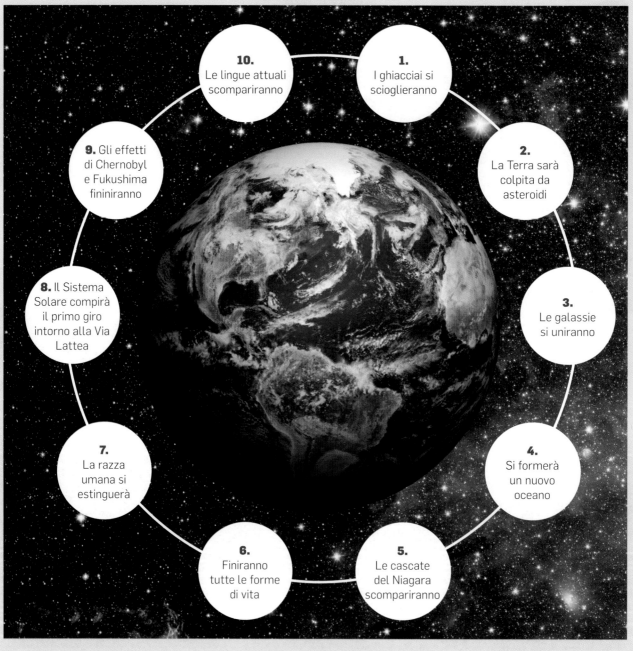

- Tra migliaia di anni
- Tra decine di migliaia di anni
- Tra centinaia di migliaia di anni
- Tra milioni di anni
- Tra centinaia di milioni di anni
- Tra miliardi di anni
- Tra centinaia di miliardi di anni

B. Ascolta questo reportage e verifica le tue ipotesi.

traccia 48

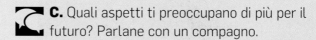

C. Quali aspetti ti preoccupano di più per il futuro? Parlane con un compagno.

2. AMICO ROBOT

 A. Leggi questo testo insieme ad un compagno e preparate delle domande di comprensione per degli altri compagni.

"La mia badante è Robin il robot" la vita tecnologica della supernonna Lea, 94 anni, che testa il progetto "GiraffPlus" della Commissione Europea

Lea Mina Ralli testa il nuovo robot "Se ho paura del mio robot? Ma vogliamo scherzare? Certo, pare di vivere nel Grande Fratello, ma a mister Robin - l'ho chiamato così - ho anche dedicato una poesia."

Nonna Lea, Lea Mina Ralli, la super novantenne che vive dietro Piramide a Roma, è tra i sei anziani - due svedesi, due spagnoli e due italiani - scelti per sperimentare il robot a casa.

"Partecipare a questo progetto mi entusiasma tantissimo. Ne vedo il futuro e la sua portata mondiale. Ha già scatenato tanta curiosità. Molte signore mi chiamano chiedendomi se si può comprare. Rispondo che bisogna avere pazienza perché è ancora in fase di sperimentazione e occorre metterlo a punto." "È divertente averlo in casa" dice nonna Lea ridendo. "Sono vedova da più di vent'anni e ora ho questa compagnia: il bello è che non protesta mai". Sul tavolo c'è una pila di libri; accanto un iMac ultima generazione con tastiera wireless. Tutt'intorno, sulle pareti, tra quadri e foto dei 4 figli, degli 8 nipoti, dei 2 pronipoti, le cellule fotoelettriche collegate a Mister Robin che riprendono ogni movimento della super nonna tecnologica.

> Mi avevano parlato di un robottino e quindi ho pensato fosse un piccolo oggetto. «Lo metterò sulla scrivania», mi sono detta. Invece aveva bisogno di una sua postazione per la ricarica, quindi ha il suo spazio. A parte questo, faccio sempre la mia vita.

> Da quando mia mamma sta sperimentando il sistema GiraffPlus - racconta -, mi sento più tranquilla, se c'è un allarme mi arriva uno squillo sul telefonino.
>
> (Wilma, figlia di nonna Lea)

Adattado da *"La mia badante è Robin il robot" la vita tecnologica della supernonna* di Rory Cappelli (www.repubblica.it cronaca di Roma)

 Il nostro progetto

B. Vivresti con un robot a casa? Come credi che potrebbe aiutarti nella tua vita quotidiana?

Il compitino: come cambierà la vita quotidiana quando abiteremo con robot? Scrivi un breve testo con un compagno.

1. IL MONDO: COME SARÀ

 A. Leggi i commenti di questo forum. Con quale o quali sei più d'accordo?

 B. Rileggi i commenti del punto A e fai attenzione al significato che assumono le parole della colonna di sinistra. Poi completa il quadro.

	esprime un dubbio
anzi	esprime un desiderio
magari	rafforza la negazione
mica	modifica quanto detto prima
chissà	esprime una supposizione

Il nostro progetto

Il compitino: scrivi il tuo punto di vista su come sarà la vita sulla Terra tra 50 anni. Cerca di usare almeno due delle parole analizzate nel punto B.

FORO FUTURIA

SECONDO VOI COME SARÀ LA VITA SULLA TERRA TRA 50 ANNI? AMBIENTE, CLIMA, ECONOMIA, ABITUDINI...

Angelonero ha risposto 2 ore fa
Sicuramente la gente vivrà più a lungo, quelli che hanno oggi un po' più di 60 anni saranno ancora vivi e magari saranno anche in buona salute. Per quanto riguarda il clima dubito che l'inquinamento diminuisca, anzi penso che il mondo malato in cui viviamo oggi sia solo l'inizio di un processo che, quando inizierà a preoccupare tutti gli abitanti di questo pianeta, sarà inarrestabile.

Alessandra Frizzo ha risposto 2 ore fa
Io vedo un futuro molto nero. Il nostro sarà un mondo disastrato, pieno di guerre, la tecnologia sarà a livelli colossali, ma la gente sarà fredda, la terra inquinata, il cielo giallastro e le piante nere, regnerà l'egoismo e chissà inizieranno i piani di colonizzazione per visitare altri pianeti.

Monica Spadato ha risposto un'ora fa
Beh, io vorrei un ambiente salutare, basta con gli alimenti geneticamente modificati! Dobbiamo cambiare questo modo di pensare che non tiene conto dell'individuo, anzi dobbiamo proprio ribellarci e dire NO! Vorrei che le persone capissero che le rivoluzioni avvengono prima in se stessi e poi al di fuori. Se tutti fossimo migliori, magari anche il mondo lo sarebbe.

Niccolò ha risposto un'ora fa
Magari fosse vero! Se veramente tutti capissero che le rivoluzioni avvengono prima dentro ognuno di noi, il mondo potrebbe avere ancora un futuro... Se andiamo avanti così, distruggeremo il nostro pianeta forse anche prima di 50 anni! Anzi lo stiamo già per distruggere...

Romina ha risposto 5 minuti fa
Mamma mia! Che scenari apocalittici! Non è mica detto che debba per forza finire in questo modo! Perché non pensiamo in modo positivo? È il primo passo per la sopravvivenza! Non bisogna mica essere sempre così negativi, no?

2. REALTÀ O FANTASCIENZA?

A. Secondo te i film e i romanzi di fantascienza sono tanto lontani dalla reltà? Parlane con un compagno e poi ascolta la registrazione.

traccia 49

B. Adesso leggi le trame di un film e un libro di fantascienza. Secondo te sono possibili delle realtà simili?

NIRVANA

Gabriele Salvatores (1997)

A pochi giorni dall'uscita sul mercato del video-gioco Nirvana, l'unica copia in possesso del pro-grammatore Jimi Dini viene infettata da un virus. A causa dell'infezione Solo, il personaggio principale del gioco, prende coscienza della propria esisten-za e si mette in contatto con Jimi chiededogli di rivelargli chi è in realtà. Il programmatore svela la natura di Solo, il quale chiede di essere cancella-to prima di venire replicato in migliaia di copie e venduto in tutto il mondo. Jimi conosce Naima, un hacker con un "ingresso dati" all'altezza del soprac-ciglio, la quale aiuta Jimi a infiltrarsi nel database della Okosama Starr, la società per la quale lavora. Trasferiscono milioni di denaro sporco ai conti di conoscenti, amici e degli abitanti delle periferie. Vengono scoperti, ma Jimi non scappa, decide di restare per onorare la promessa fatta a Solo e cancellare Nirvana.

Sezione π²

Giovanni Di Matteo (2007)

Nel 2059 Napoli è una metropoli di sei milioni di abitanti, sopravvissuti all'eruzione del Vesuvio e alla Terza guerra mondiale, i quali hanno trova-to rifugio nella città partenopea dopo la sua ricostruzione. La città, però, è assediata da una minaccia ecologica dalle origini incerte, una massa in grado di rigenerarsi assimilando rifiuti e invadendo le zone abbandonate dall'attività umana. Il romanzo è incentrato sull'indagine della Polizia Psicografica, un'unità speciale nota anche come Sezione Pi-Quadro, e del tenente Vincenzo Briganti, il quale è chiamato a risolvere il caso dell'omicidio del suo superiore. Gli agenti della Sezione Pi-Quadro sono conosciuti con il titolo dispregiativo di necromanti per il tipo di indagini che svolgono, le quali sono condotte a partire dal recupero delle memorie delle vittime, grazie agli innesti cibernetici di cui sono dotati.

C. Osserva i testi del punto A e completa il quadro.

Jimi svela la natura di Solo, **il quale** chiede di essere cancellato.
Jimi conosce Naima, **la quale** lo aiuta a infiltrarsi.
La Okosama Starr, la società **per la quale** lavora.
Sei milioni di abitanti, **i quali** hanno trovato rifugio a Napoli.
Il tipo d'indagini che svolgono, **le quali** sono condotte a partire dal recupero della memoria.

Jimi svela la natura di Solo, che chiede di essere cancellato.
....
La Osama Starr, la società per cui lavora.
....
....
....

D. Conosci qualche film o qualche romanzo di fantascienza? Raccontalo ai tuoi compagni.

3. LA NUMEROLOGIA

 A. Leggi il testo e scopri qual è il tuo anno personale.
Poi leggi le predizioni: come sarà?

È una scienza creata nell'antica Grecia da Pitagora, filosofo e matematico, con la quale ci spiega che tutte le persone vivono cicli di nove anni. I numeri dell'anno personale sono quindi 1, 2, 3, 4, 5, 6, 7, 8, 9.

Per calcolare il numero dell'anno personale dovremo sommare tra loro il giorno e il mese di nascita ed al risultato bisognerà sommare ancora il valore dell'anno in corso. Quindi se tu sei nato il 5/11 devi sommare 5 + 11 + 2014: 5+1+1+2+0+1+4 = 14, che va ridotto ancora a un'unica cifra: 1+4=5.

1 | **Numero 1:** avrai parecchi imprevisti quest'anno, tenderai all'incoerenza, vorrai fare tante cose tutte insieme e reagirai in modo insolito agli eventi quotidiani.

2 | **Numero 2:** se non è ancora cambiata la tua situazione lavorativa, non ti preoccupare! Sappi che quest'anno sarà favorevole per i nuovi progetti. Sta per arrivare un nuovo lavoro.

3 | **Numero 3:** la tua vita sedentaria è finita! Farai molti viaggi e conoscerai svariate culture e popoli di altri paesi. Il tuo viaggio sta per cominciare.

4 | **Numero 4:** sentirai un aumento di forza ed energia, quindi condurrai una vita più attiva. Quest'energia ha cambiato il tuo atteggiamento e ti aiuterà a chiudere progetti sospesi nel passato.

5 | **Numero 5:** se sei senza partner, riceverai in dono la capacità di seduzione. Incontrerai una persona e ti innamorerai a prima vista. L'amore sta per arrivare.

6 | **Numero 6:** dovrai tenere sotto controllo la tua salute evitando tutto quello che ti fa male. Hai già cominciato a fare sport? Se non è così, questo sarà l'obiettivo di quest'anno.

7 | **Numero 7:** realizzerai le tue ambizioni e i tuoi desideri e sarai a tuo agio in qualsiasi situazione. La tua fortuna è già cominciata.

8 | **Numero 8:** considererai la possibilità di cambiare casa, città oppure paese. Anche se all'inizio sarà faticoso, le nuove perspettive ti daranno forza per farlo. Gli spostamenti stanno per cominciare.

9 | **Numero 9:** quest'anno i soldi viaggeranno in entrata e uscita, ma attento perché prima o poi le entrate diminuiranno. Se non hai finito i tuoi risparmi, mettili da parte perché ne avrai bisogno.

 B. Adesso leggi le predizioni di tutti gli anni: come viene espressa l'idea di futuro imminente?

 C. Osserva di nuovo i testi e sottolinea le forme al passato prossimo dei verbi *cominciare*, *finire* e *cambiare*. Noti qualcosa di strano?

Un uso consapevole della lingua facilita l'apprendimento e aiuta a fissare le strutture. Prendi spunto dalle pagine di *Alla scoperta della lingua* per avvicinarti alla lingua anche come un osservatore.

QUANTO NE SAI D'INFORMATICA?

A. Fai il test a un compagno per sapere quanto ne sa d'informatica.

1. Una macchina elettronica capace di ricevere, trasmettere, immagazzinare ed elaborare informazione è...

a) un computer
b) una stampante
c) un file

2. Per scrivere avrai bisogno di...

a) un link
b) un'icona
c) una tastiera

3. Una memoria di massa portatile di dimensioni molto contenute che si collega al computer è...

a) un mouse
b) un modem
c) una chiavetta USB

4. Se vogliamo sottoporre immagini o testi a scansione dobbiamo...

a) salvare il documento
b) scannerizzare il documento
c) scaricare la scheda memoria

5. Se vuoi aprire un documento, devi...

a) cliccare due volte sull'icona
b) formattare il computer
c) installare il programma

B. Sei un fanatico delle nuove tecnologie? Quali sono quelle che usi di più? Parlane con un compagno.

curiosità

Molto spesso i termini dell'informatica in italiano sono formati aggiungendo un suffisso alla parola inglese, a volte raddoppiando l'ultima consonante:
to click → cliccare
to format → formattare
to install → installare
to reset → resettare
hacker → hackeraggio

PER FARE IPOTESI SUL FUTURO

Sicuramente / probabilmente / difficilmente fra 50 anni **inventeranno** / **avranno inventato** una macchina per viaggiare nel tempo.
Immagino / penso / credo / spero / sono sicuro che fra alcuni anni **scopriranno** / **avranno scoperto** che ci sono forme di vita intelligenti nell'universo.

VERBI CON DUE AUSILIARI

Alcuni verbi come *cominciare, iniziare, finire, salire, scendere, cambiare*, ecc. formano i tempi composti con l'ausiliare essere (uso intransitivo) o avere (uso transitivo).
*Il download del programma **è** iniziato.*
    (uso intransitivo)
***Ho** inziato a scaricare il programma.* (uso transitivo)
***È** cambiata la programmazione del festival.*
    (uso intransitivo)
***Hanno** cambiato la programmazione del festival.* (uso transitivo)

MAGARI

È un'espressione che manifesta un forte desiderio sentito come irrealizzabile, seguita spesso da un verbo al congiuntivo. Si usa inoltre come risposta affermativa, per esprimere desiderio oppure come sinonimo di *perché no?, volentieri!*
***Magari** ci fossero degli occhiali che traducono direttamente nella tua lingua!*
Ti piacerebbe vivere 150 anni?
***Magari**!*

Come avverbio è sinonimo di *forse, probabilmente*.
***Magari** gli scienziati hanno già inventato la macchina del tempo.*

CHISSÀ

Con valore avverbiale, è usato per esprimere dubbio, incertezza e talora una vaga speranza.
***Chissà** se riusciremo a sapere se ci sono altri pianeti abitabili nell'universo.*

STARE PER + INFINITO

Indica un'azione non ancora cominciata, ma che è imminente. Si usa esclusivamente con il presente e l'imperfetto e raramente con il futuro semplice. Non si usa mai con i tempi composti.
***Sta per uscire** il nuovo modello di macchina elettrica.*
***Stavano per inviare** lo shuttle nello spazio, ma hanno rimandato la partenza.*
*Pietro **starà per arrivare**. Sono già le dieci.*

IL QUALE / LA QUALE / I QUALI / LE QUALI

I pronomi relativi **il quale**, **la quale**, **i quali**, **le quali** possono sostituire **che** o preposizione + **cui**, e concordano in genere e numero con la persona o cosa a cui si riferiscono. Questa forma di relativo si usa in un registro formale.
*Dobbiamo tener presente tutti i film di fantascienza **con i quali** abbiamo previsto il futuro.* (con cui)
*Ho parlato con i dirigenti del centro scientifico, **i quali** sostengono che i robot saranno presto sul mercato.* (che)

MICA

È un avverbio, usato soprattutto nel linguaggio parlato, che rafforza una negazione. Ha significato simile a *affatto, minimamente*. Nella frasi dubitative o interrogative ha significato simile a *per caso*.
*Non sto **mica** bene.*
*Non è **mica** vero.*
***Mica** hai visto i miei occhiali?*
*Non ti sarai **mica** offeso?*

ANZI

Si usa per correggere un'affermazione con significato simile a *invece, all'opposto*, o per introdurre un'espressione rafforzativa, con significato simile a *o meglio, o piuttosto*.
*Non sono contrario ad andare a vivere sulla luna, **anzi** mi piacerebbe proprio!*
*Interessanti questi romanzi... Ne compro uno, **anzi** due!*

I NUMERALI COLLETTIVI

I numerali collettivi indicano un insieme numerico di persone o cose.

Tra **decine** di anni l'uomo vivrà di più.

L'isola sta a un **centinaio** di km dalla costa.

Questo film l'hanno visto **migliaia** di persone.

I dinosauri abitarono la Terra **milioni** di anni fa.

Il sistema solare si è formato **miliardi** di anni fa.

 Alcune specie animali spariranno tra **decine di migliaia** di anni.

Tra **centinaia di migliaia** di anni non ci sarà più energia solare.

Completa le seguenti mappe mentali:

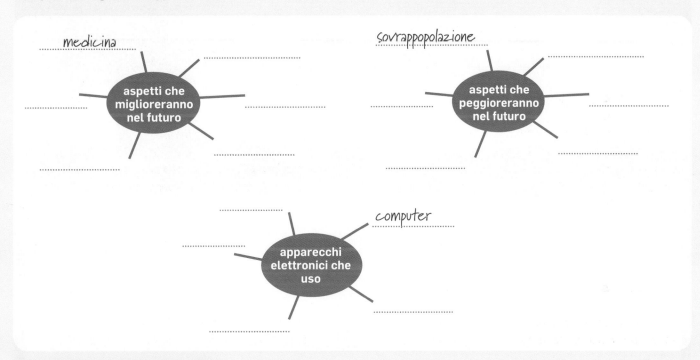

medicina

aspetti che
miglioreranno
nel futuro

sovrappopolazione

aspetti che
peggioreranno
nel futuro

apparecchi
elettronici che
uso

computer

Suoni e lettere

 Leggi ad alta voce le seguenti frasi e poi ascolta la registrazione.

traccia 50

1. ▸ Gli scienziati dicono che vivremo più a lungo e che saremo più sani.
   • Magari!
2. No, non è complicato questo nuovo programma, anzi!
3. Chissà se l'uomo popolerà anche altri pianeti...
4. Magari scoprissero altre energie alternative!
5. Non hai mica preso tu il mio tablet?
6. Magari tra qualche anno non faranno più computer fissi.

CHISSA SE UN GIORNO POTRÒ CANTARE SULLA LUNA...

1. TRA 50 ANNI SI STARÀ MEGLIO

A. Leggi queste affermazioni e indica quali sono possibili secondo te. Parlane con un compagno.

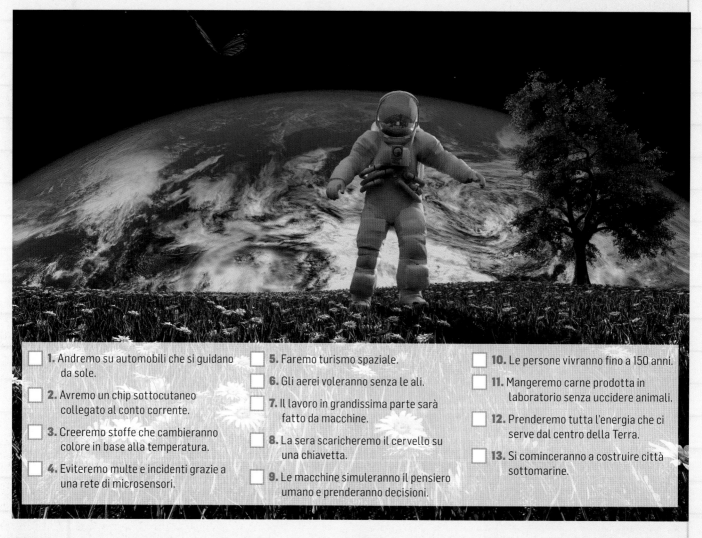

☐ **1.** Andremo su automobili che si guidano da sole.

☐ **2.** Avremo un chip sottocutaneo collegato al conto corrente.

☐ **3.** Creeremo stoffe che cambieranno colore in base alla temperatura.

☐ **4.** Eviteremo multe e incidenti grazie a una rete di microsensori.

☐ **5.** Faremo turismo spaziale.

☐ **6.** Gli aerei voleranno senza le ali.

☐ **7.** Il lavoro in grandissima parte sarà fatto da macchine.

☐ **8.** La sera scaricheremo il cervello su una chiavetta.

☐ **9.** Le macchine simuleranno il pensiero umano e prenderanno decisioni.

☐ **10.** Le persone vivranno fino a 150 anni.

☐ **11.** Mangeremo carne prodotta in laboratorio senza uccidere animali.

☐ **12.** Prenderemo tutta l'energia che ci serve dal centro della Terra.

☐ **13.** Si cominceranno a costruire città sottomarine.

traccia 51

B. Adesso ascolta questa conversazione: quali delle previsioni del punto A fa l'astrofisico Giovanni Bignami nel suo libro?

C. Infine, scrivi cinque previsioni che secondo te si verificheranno fra 50 anni. Poi condividile con i tuoi compagni.

2. UN BLOG DA FANTASCIENZA

Il nostro progetto

A. A gruppi. Pensate a un titolo per il blog di fantascienza della classe e proponetelo agli altri compagni. Votate le proposte e scegliete quello che piace di più. Poi decidete quale formato di blog adottare, potete servirvi di WordPress o Blogspot.

B. Adesso pensate a una possibile trama per un racconto di fantascienza. Ricordate di definire:

▸ l'ambientazione (una galassia, un pianeta, una città del futuro, ecc.)
▸ i personaggi
▸ i fatti principali della storia

C. Scrivete un racconto breve di una o due pagine al massimo e dategli un titolo accattivante e originale.

D. Infine pubblicate il vostro racconto accompagnato da foto o illustrazioni. Leggete i racconti dei vostri compagni e lasciate dei commenti sul blog.

Il Festival della fantascienza

© Mario Alberti / Trieste Science + Fiction

1 Il Festival Internazionale del Film di Fantascienza nasce nel 1963. Fino al 1982, anno in cui s'interrompe la manifestazione, Trieste diventa un palcoscenico unico per il cinema di genere, e ospita illustri persona-
5 lità Arthur C. Clarke, Roger Corman, Riccardo Freda, Forrest J. Ackerman, Umberto Eco o Brian Aldiss.

Nel 2000 La Cappella Underground decide di rilanciare la tradizione, riprendendone la spinta innovativa nella proposta di produzioni indipendenti, anteprime e film
10 introvabili, con il nuovo nome di Science plus Fiction. Nel 2002, in collaborazione con la collana Urania (Mondadori), è stato istituito il premio alla carriera Urania d'Argento, consegnato nelle varie edizioni a Pupi Avati, Dario Argento, Jimmy Sangster, Lamberto
15 Bava, Enki Bilal, Terry Gilliam, Joe Dante, Christopher Lee e Roger Corman.

Nel 2004 Science plus Fiction ripropone il simbolo a cui si ispira: l'Asteroide, premio storico del ciclo ventennale del Festival Internazionale del Film di Fantascienza di
20 Trieste. Tradizionalmente noto come Asteroide d'Oro, premio che veniva consegnato al miglior film in concorso. Nel 2005 Science plus Fiction fa parte della European Fantastic Film Festivals Federation, network che riunisce le principali manifestazioni del settore con
25 il fine di promuovere ai massimi livelli la produzione cinematografica europea di genere.

Il festival ha anche saputo aggiornarsi presentando un ampio ventaglio di appuntamenti per un pubblico sempre più vasto: non solo cinema, ma anche eventi
30 sui temi correlati alla fantascienza (tavole rotonde, convegni scientifici, concerti e performance teatrali, esposizioni d'arte e incontri letterari).

Il programma cinematografico offre proposte diverse per accontentare appassionati e neofiti dei generi scien-
35 ce-fiction, horror e fantasy e nel corso degli anni sono state create nuove sezioni: Brit Invaders!, dedicata alla fantascienza britannica; Marx Attacks!, con una visione allargata alle produzioni sovietiche; FantaEspaña, per la produzione spagnola; Asteroids, una selezione
40 delle migliori chicche dal passato; European Fantastic Shorts e Spazio Italia, i cortometraggi da tutta Europa; Voyage Fantastique, un viaggio all'interno della fantascienza francese. E molte altre, oltre alla sezione uffi-ciale Neon che comprende le ultime novità e le ante-
45 prime in concorso (premio Asteroide) e fuori concorso.

1. Conosci delle manifestazioni dedicate a qualche genere in particolare? www.sciencefictionfestival.org

Urania

© Mondadori

1 *Urania* (musa dell'astronomia) è il nome di una rivista di fantascienza e di una collana di romanzi dedicata a questo genere, entrambe edite da Mondadori. Della rivista uscirono solo 14 numeri, tra il 1952 e il 1953, e poi si decise di interrompere la pubblicazione perché non riscosse sufficiente
5 (e meritato) successo. Probabilmente fu messa in ombra dai romanzi della collana e comunque non ne fu compreso il valore. Si trattava, invece, di una pubblicazione di alto livello. Tra i 14 numeri della rivista sono raccolti numerosi capolavori della fantascienza: racconti come *Le maschere* di Fritz Leiber, *Terrore* di Richard Matheson, *Esodo nero* di Ray Bradbury
10 (un episodio delle *Cronache marziane*), una versione breve di *Fahrenheit 451* pubblicata con il titolo *Gli anni del rogo*, *L'ultimo marziano* di Fredric Brown, *I mangiatori di loto* di Stanley G. Weinbaum.

La collana di romanzi continua a pubblicare, invece, da oltre 60
15 anni rappresentando un punto di riferimento per la letteratura fantascientifica. Ha, infatti, contribuito a diffondere le opere di autori come Asimov, Ballard, Dick, Le Guin, per esempio. Fino alla morte del primo direttore Giorgio Monicelli, nel 1961, *Urania* pubblicava anche autori italiani, ma solo sotto pseudonimi o con nomi non immediatamente riconducibili all'italiano
20 (come L. R. Johannis). In seguito, per 35 anni, non vennero più pubblicati autori

L'ultimo numero di «Urania»

italiani, e nel 1989 la collana istituì un omonimo concorso letterario, il Premio Urania, riservato a opere inedite di fantascienza italiana, lanciando così autori come Luca Masali e Valerio Evangelisti.

© Mondadori

Le bellissime copertine della rivista furono realizzate dall'illustratore Kurt Caesar, che si occupò anche di quelle dei romanzi fino al 1960, 25 quando subentrò l'olandese Karel Thole. Dal 1962, in copertina comparve il cerchio rosso, l'oblò lunare voluto da Anita Klinz, l'art director della Mondadori, che divenne un simbolo della collana. Dal 1988 al 1991 le copertine della collana furono affidate allo spagnolo Vicente Segrelles, e nel 1992 all'argentino Oscar Chichoni. Nel 1996 30 ci fu un cambio nelle veste grafica e nel formato: le copertine non erano più curate da un unico illustratore, ma si alternavano vari nomi, come Maurizio Manzieri (fino al 1999), Massimo Resostolato e Jacopo Bruno (fino al 2000), o Franco Brambilla. Nel 2001 la collana ha cambiato di nuovo veste grafica e le copertine sono curate 35 principalmente da Franco Brambilla, anche se non mancano firme come Cesare Croce, Pierluigi Longo e Paolo Barbieri.

L'inconfondibile cerchio rosso che caratterizza la collana *Urania*

2. Nel tuo paese esistono pubblicazioni legate alla fantascienza? Di che tipo sono?

blog.librimondadori.it/blogs/urania/

Produzione scritta

	nome della prova	parti della prova	tipologia di esercizi	durata	punteggio
CILS	Produzione scritta	2	• scrivere un testo di 100-120 parole • scrivere un testo di 80-100 parole	1 ora e 10 minuti	20
CELI	Prova di Produzione di testi scritti	3	• completare dei testi con le parole mancanti • scrivere un testo di 50 parole • scrivere un testo di 90-100 parole	2 ore (scritto + lettura)	25
PLIDA	Scrivere	2	• scrivere due testi informativi o descrittivi di 100-150 parole	50 minuti	30

Suggerimenti e consigli per la prova

- Leggi attentamente le indicazioni che ti vengono date e quanto ti viene chiesto. Nel caso ti vengano proposte delle vignette, osservale attentamente prima di cominciare a scrivere.

- Prima di cominciare a scrivere prenditi qualche minuto per pensare al lessico e alle strutture di cui hai bisogno e fai un piccolo schema mettendo in ordine le idee.

- Scrivi in modo chiaro, in modo che la lettura per l'esaminatore sia facile. Se si scrive con una grafia difficile da leggere, il correttore sarà più concentrato a decifrare quello che hai scritto e non sulle idee che vuoi trasmettere.

- Cerca di controllare il tempo in modo da avere qualche minuto alla fine per poter rileggere.

All'estero, l'esame CILS prevede anche la prova di competenza grammaticale.

	nome della prova	parti della prova	tipologia di esercizi	durata	punteggio
CILS	Analisi delle strutture di comunicazione	4	• Completare un testo con forme grammaticali suggerite nelle istruzioni dell'esercizio. • Completare un testo con il lessico mancante scegliendo fra le tre possibilità proposte.	1 ora	24

Suggerimenti e consigli per la prova

- Leggi con molta attenzione le istruzioni che ti vengono date, poi leggi il testo e cerca di capire il significato generale. Rileggi il testo e completalo con le parti mancanti.

- Importante! Se la forma mancante non ti viene in mente subito, non perdere tempo, continua l'esercizio e ritorna sulle parti che trovi difficili in un secondo momento.

ESERCIZIO 1

Osserva le immagini. Scrivi le istruzioni per eseguire gli esercizi illustrati. Scrivi circa 80 parole.

ESERCIZIO 2

Scrivi la trama di un libro o un film di fantascienza. Basati su questo incipit.

▶ Anno 2050: un'agenzia di viaggio organizza dei viaggi su Marte...

ESERCIZIO 3

Completa il testo con le forme corrette dei verbi che trovi fra parentesi.

RISPOSTA DI PERSONAL TRAINER A LA DOMADA DI LAURA G.

Cara Laura, mi chiedi quale sport è il più indicato per dimagrire. Anzitutto vorrei che tu .... (capire) che per dimagrire non basta andare solo in palestra o fare sport. Benché tu .... (perdere) un paio di chili la settimana scorsa perché ci .... (andare) ogni giorno, questo non vuol dire che ne .... (perdere) ancora. Può darsi che tu .... (dimagrire) ma devi andare dal dottore perché ti .... (dire) quale dieta seguire. Non mi piace che le persone .... (fare) una dieta senza consultare uno specialista. Se io .... (essere) in te, andrei dal dottore. Lui ti .... (consigliare) cosa fare e quale sport praticare perché sicuramente .... (avere) altri casi come il tuo.

Spero che le mie parole ti .... (servire) e ti .... (potere) aiutare in futuro.

ESERCIZIO 4

Completa il testo usando una sola parola per ogni spazio numerato.

FORUM AL FUTURO

Nel 3.000 ci saranno degli occhiali .... (1) sole che avranno tante funzioni, non solo riparare dal sole. La gente vestirà uguale e si potranno usare solo vestiti .... (2) righe! Inventeranno orecchini che saranno mp3 comandati .... (3) un piccolissimo anello in .... (4) ci sarà un database online interattivo. .... (5) le persone stiano distruggendo il pianeta, ci sarà sempre la speranza che le cose possano cambiare. Io andrei a vivere sulla Luna .... (6) che potessi portare i miei amici. Le case del futuro saranno più pratiche .... (7) belle, ma le città saranno più brutte .... (8) nostre. Mio padre dice che molte malattie saranno curabili. .... (9) ha detto un suo amico .... (10) è dottore.

Autovalutazione

1. Competenze unità 9 e 10	Sono capace di...	Ho delle difficoltà a...	Non sono ancora capace di...	Esempi
descrivere e spiegare come realizzare attività fisiche				
parlare e discutere sui valori e del significato dello sport				
dare consigli su attività fisiche				
esprimere opinioni e ipotesi sul futuro				
parlare della tecnologia				
raccontare la trama di film e libri				

2. Contenuti unità 9 e 10	So e uso facilmente...	So ma non uso facilmente...	Non so ancora...
alcuni verbi pronominali: **mettercela tutta**, **cercarsela**, ecc.			
la preposizione **da** per esprimere funzione			
il gerundio per esprimere contemporaneità			
il suffisso -**bile**			
i prefissi negativi **in**-, **s**-, **dis**-			
stare per + infinito			
i pronomi relativi: **il quale**, **la quale**, **i quali**, **le quali**			
i verbi con doppio ausiliare: **finire**, **cambiare**, ecc.			
magari, **chissà**, **mica**, **anzi**			
il lessico dello sport			

Bilancio

Come uso l'italiano	😊	🙂	😐	☹️
quando leggo				
quando ascolto				
quando parlo				
quando scrivo				
quando realizzo le attività				

La mia conoscenza attuale	😊	🙂	😐	☹️
della grammatica				
del vocabolario				
della pronuncia e dell'ortografia				
della cultura				

In questo momento i miei punti di forza sono: ....

In questo momento le mie difficoltà sono: ....

Idee per migliorare	in classe	fuori dalla classe (a casa mia, per la strada...)
il mio vocabolario		
la mia grammatica		
la mia pronuncia e la mia ortografia		
la mia pratica della lettura		
la mia pratica dell'ascolto		
le mie produzioni orali		
le mie produzioni scritte		

Se vuoi, parlane con un compagno.

ALLEGATI

■ **Italiani e stereopiti**

■ **Feste:** la Regata storica di Venezia, il Palio del Niballo e la Nott del Bisò, San Trifone, la Festa del Grano di Jelsi, la Processione del Cristo morto di Civitavecchia, il Carnevale Ambrosiano

■ **Giro d'Italia:** i rilievi, le pianure, i laghi, i mari, le isole

■ **Riepilogo grammaticale**

■ **Verbi**

■ **Trascrizioni audio**

Luoghi comuni... o no?

A. Gli italiani, come altri popoli, sono spesso percepiti all'estero con determinate caratteristiche. Si tratta di verità assolute o solo di luoghi comuni che il cinema, la letteratura o la gastronomia (tra le altre cose) hanno contribuito a creare? Tu cosa ne pensi? Nella seguente lista di stereotipi, indica accanto a ciascuno se, secondo te, si tratta di una carratteristca: **a)** assolutamente vera, **b)** verosimile, **c)** poco frequente, **d)** assolutamente falsa. Se ti vengono in mente altri stereotipi, puoi aggiungerli.

1) Gli italiani gesticolano tantissimo.
   a) ☑ b) ☐ c) ☐ d) ☐

2) Gli italiani sono ossessionati dalla moda.
   a) ☐ b) ☑ c) ☑ d) ☐

3) Gli italiani hanno buon gusto nel vestire.
   a) ☐ b) ☑ c) ☐ d) ☐

4) Gli italiani mangiano pasta e pizza tutti i giorni.
   a) ☐ b) ☑ c) ☐ d) ☐

5) La cucina italiana non è molto varia: solo pasta e pizza.
   a) ☐ b) ☐ c) ☐ d) ☑

6) La gastronomia italiana è una delle più apprezzate al mondo.
   a) ☑ b) ☑ c) ☐ d) ☐

7) Gli italiani guidano male e non rispettano il codice stradale.
   a) ☐ b) ☑ c) ☐ d) ☐

8) L'italiano medio non rispetta le regole e fa il furbo.
   a) ☐ b) ☑ c) ☐ d) ☐

9) L'Italia è un paese abbastanza maschilista.
   a) ☐ b) ☑ c) ☐ d) ☐

10) L'Italia è un paese piuttosto conservatore.
   a) ☐ b) ☑ c) ☐ d) ☐

11) Gli uomini italiani sono famosi per il loro modo di corteggiare.
   a) ☐ b) ☐ c) ☑ d) ☐

12) Gli uomini italiani curano molto la loro immagine.
   a) ☐ b) ☑ c) ☐ d) ☐

13) Le madri in Italia sono troppo presenti nella vita dei figli.
   a) ☐ b) ☐ c) ☑ d) ☐

14) In Italia, in famiglia, comanda la madre.
   a) ☐ b) ☑ c) ☐ d) ☐

15) Gli italiani sono aperti e generosi.
   a) ☐ b) ☑ c) ☐ d) ☐

16) Gli italiani hanno quasi tutti i capelli e gli occhi scuri.
   a) ☐ b) ☐ c) ☑ d) ☐

17) In Italia c'è sempre il sole e fa caldo.
   a) ☐ b) ☐ c) ☑ d) ☐

18) L'Italia è un paese poco moderno dal punto di vista sociale.
   a) ☐ b) ☑ c) ☐ d) ☐

19) Gli italiani sono molto religiosi.
   a) ☐ b) ☑ c) ☐ d) ☐

20) Gli italiani, quando parlano, urlano e sembrano sempre arrabbiati.
   a) ☐ b) ☐ c) ☑ d) ☐

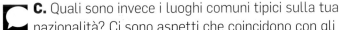

B. Con quanti e quali di questi luoghi comuni sei d'accordo? Parlane con i tuoi compagni.

C. Quali sono invece i luoghi comuni tipici sulla tua nazionalità? Ci sono aspetti che coincidono con gli stereotipi sugli italiani o sono molto diversi?

La Regata Storica di Venezia

Ogni anno, la prima domenica di settembre, nella città lagunare si svolge la tradizionale e spettacolare Regata Storica. Le prime testimonianze risalgono al XIII-XIV secolo, quando la competizione era legata alla Festa delle Marie o ad altre importanti ricorrenze ed eventi cittadini. Al giorno d'oggi la manifestazione si sviluppa in due fasi distinte: il corteo storico e le regate competitive. A partire dagli anni '50, infatti, il coloratissimo corteo acqueo apre la manifestazione rievocando la visita della regina di Cipro Caterina Cornaro (1489), che segnò l'inizio del dominio della Repubblica di Venezia sull'isola del Mediterraneo. Nel Canal Grande, decine e decine d'imbarcazioni tipiche cinquecentesche trasportano il doge, la dogaressa, Caterina Cornaro e le più alte cariche della Magistratura veneziana.

Il corteo storico sfila nel Canal Grande

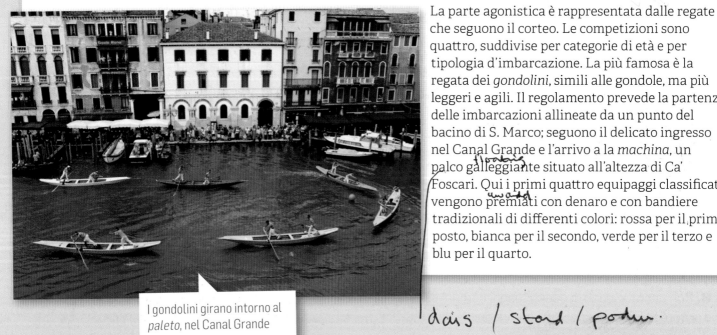

I gondolini girano intorno al *paleto*, nel Canal Grande

La parte agonistica è rappresentata dalle regate che seguono il corteo. Le competizioni sono quattro, suddivise per categorie di età e per tipologia d'imbarcazione. La più famosa è la regata dei *gondolini*, simili alle gondole, ma più leggeri e agili. Il regolamento prevede la partenza delle imbarcazioni allineate da un punto del bacino di S. Marco; seguono il delicato ingresso nel Canal Grande e l'arrivo a la *machina*, un palco galleggiante situato all'altezza di Ca' Foscari. Qui i primi quattro equipaggi classificati vengono premiati con denaro e con bandiere tradizionali di differenti colori: rossa per il primo posto, bianca per il secondo, verde per il terzo e blu per il quarto.

dais / stand / podu.

▶ In quali altre città italiane si organizzano regate storiche? Che caratteristica hanno in comune con Venezia?

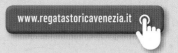
www.regatastoricavenezia.it

Il Palio del Niballo e la Nott de Bisò

Il Palio del Niballo, che si celebra a Faenza (Ravenna) ogni 4ª domenica di giugno, è una delle giostre medievali più antiche. Alla gara partecipano i cavalieri dei cinque rioni della città che, dopo una corsa al galoppo, devono colpire un bersaglio posto all'estremità dei due bracci del Niballo, un grande fantoccio che raffigura Annibale, antico nemico di Faenza. L'importanza del Palio è tale che, attorno alla manifestazione originaria, si sono sviluppati tantissimi altri eventi che hanno luogo durante tutto l'anno. Un esempio è la *Not de bisò* (la Notte del vin brulé), che si celebra il 5 gennaio come atto conclusivo del Palio. In questa notte, il Niballo, che rappresenta le avversità e le sventure dell'anno che si conclude, viene bruciato in piazza del Popolo. Durante il falò si brinda con il *bisò* (vino caldo aromatizzato con cannella e chiodi di garofano) che viene servito nei tradizionali *gotti*, piccole ciotole in ceramica di Faenza decorate a mano.

Il Niballo brucia insieme a tutte le sventure

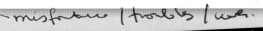

San Trifone

A Montrone di Adelfia (Bari) dal 1783, a novembre, si celebra San Trifone, che protesse il paese da un'epidemia di peste e da un'invasione di cavallette, salvando popolazione e raccolti. La grandiosa festa dura ben 10 giorni e prevede un ricchissimo calendario di eventi: concerti, mostre, degustazioni di prodotti locali, messe e processioni. Sono, però, le meravigliose luminarie che abbelliscono le strade e le piazze del paese e gli straordinari fuochi d'artificio a costituire l'aspetto più spettacolare della festa, che ogni anno richiama migliaia di visitatori italiani e stranieri. I giochi pirotecnici, in particolare, rappresentano una forte tradizione locale che ha dato luogo a una vera e propria arte del fuoco, attraverso cui si esprimono eccezionali mastri capaci di creare poesia con la polvere da sparo.

Giochi di luce e fuoco per San Trifone

© Michele Cutrone / www.santrifone.it

▶ Anche nel tuo paese si fa uso del fuoco per celebrare feste e ricorrenze? Che significato ha?

La Festa del Grano di Jelsi

© Michele Fratino - Comune di Jelsi

La festa del Grano di Jelsi prende origine da un fatto storico ben preciso: il 26 luglio del 1805 un rovinoso terremoto colpì il Regno di Napoli e in particolare il territorio dell'Alto Molise. Si contarono oltre 5500 vittime, mentre nella piccola località molisana di Jelsi i morti furono appena 31. Gli abitanti attribuirono tale fenomeno all'intervento di Sant'Anna e a partire da quell'occasione fecero voto affinché la santa li proteggesse da calamità future. Così ogni 26 luglio si svolge la tradizionale processione della statua della santa, alla quale si chiede protezione attraverso l'offerta di spighe di grano. La scelta del grano è chiaramente simbolica: rappresenta il frutto principale della terra.

Oltre al carro che trasporta la statua di Sant'Anna, sfilano le traglie tirate dai buoi (antichi attrezzi agricoli per il trasporto di materiali) e le trasportatrici, giovani in costume tradizionale che trasportano fasci di grano. Le principali attrazioni rimangono, tuttavia, i carri moderni, vere e proprie scenografie decorate con grano artisticamente lavorato, che rappresentano vari luoghi e simboli di tutto mondo.

L'importanza di questa ricorrenza ha portato alla creazione, nel 2011, della Scuola del Grano, destinata ai ragazzi della scuola elementare e media di Jelsi, per promuovere tra le nuove generazioni la conoscenza dell'arte di lavorare il grano, plasmare le spighe e realizzare carri, al fine di conservare e tramandare una tradizione centenaria, profondamente radicata nella cultura jelsese.

Il carro che trasporta Sant'Anna seguito dalle autorità civili e militari

Il ventisei luglio
Ci fu una grande scossa
La terra si scomposse
[...]
Cacciamo a S. Anna
Cacciamola di cuor
Ci facesse perdonar.

Componimento anonimo

Giovani jelsesi che partecipano alla tradizione

© Michele Fratino - Comune di Jelsi

▶ Che tipo di feste si celebrano con processioni e/o sfilate nel tuo paese?

La Processione del Cristo morto

© Damiano Quattrone

Ogni Venerdì Santo a Civitavecchia si svolge la tradizionale Processione del Cristo morto. La processione inizia di sera quando un corteo esce dalla Chiesa della Stella in piazza Leandra e sfila per le strade della città. Si compone di 11 "quadri" (i Misteri) e rappresenta il trasporto di Gesù dal Calvario al Sepolcro. Una caratteristica di notevole interesse è la presenza di oltre 200 penitenti, persone vestite di bianco che sfilano incappucciate e che portano due pesanti catene legate ai piedi nudi. Alcuni di loro portano anche una croce sulle spalle. Il rumore delle catene si avverte ancora prima dell'arrivo dei penitenti e crea un'atmosfera di grande suggestione. Tra una statua e l'altra sfilano anche, portati da bambine vestite di bianco, i cosiddetti Misteretti che sono i simboli della Passione e della Morte di Gesù: il martello, i chiodi, il calice, il gallo, la lancia, la corona di spine, ecc. Il corteo termina con autorità religiose, civili e militari e con la sfilata dell'Arciconfraternita del Gonfalone.

La suggestiva sfilata dei Penitenti

Meneghino e il Carnevale Ambrosiano

A Milano si festeggia il Carnevale Ambrosiano, che cade qualche giorno dopo il carnevale tradizionale seguendo, quindi, il Calendario Ambrosiano secondo cui la Quaresima non inizia il Mercoledì delle Ceneri, ma la domenica successiva. L'origine di questa celebrazione si deve al fatto che il vescovo Ambrogio (IV sec) tornò in ritardo da un pellegrinaggio: la città lo aspettò prolungando il carnevale e posticipando l'inizio della Quaresima. I protagonisti del Carnevale Ambrosiano sono le maschere di Meneghino e di Cecca. Meneghino (forma milanese di Domenichino) indica il "servo della domenica", servitore tipico soprattutto dei secc. XVII e XVIII che lavorava di domenica per i nobili non troppo abbienti e che potevano organizzare feste solo un giorno alla settimana. I tratti caratteristici della maschera sono il tricorno (un cappello a tre punte), una lunga giacca marrone, pantaloni corti e calze a righe rosse e bianche. Di carattere allegro, schietto e diretto, Meneghino si diverte a prendere in giro i difetti e i vizi degli aristocratici a cui presta servizio, ma allo stesso tempo non si ferma un attimo e lavora senza sosta: proprio per questi motivi, la sua maschera è diventata simbolo del popolo milanese. Sua moglie Cecca, diminutivo dialettale di Francesca, è la classica moglie bonaria e volenterosa che affronta ogni sacrificio con il sorriso.

I rilievi

Geografia: i rilievi montuosi e collinari occupano i 3/4 dell'intera superficie dell'Italia. Dal confine orientale (Alpi Giulie e Carso) alla punta meridionale della penisola (giogo dell'Aspromonte) tali rilievi costituiscono un'unica catena, a forma di grande S, al cui interno si distinguono due tronchi principali: le Alpi e gli Appennini. I rilievi collinari non superano gli 800 m di quota.

Particolarità: La Sardegna è l'unica regione italiana a non essere attraversata dalle Alpi o dagli Appennini. Le sue montagne hanno, infatti, caratteristiche proprie e formano parte del Rilievo sardo-corso, che comprende anche la Corsica.

www.montagneitaliane.com

La cima innevata del Monte Bianco e il Monte Meta (Appennino abruzzese) ↗

I dolci rilievi dei Colli Euganei (Padova) →

Le Dolomiti si specchiano nel Lago di Misurina (Belluno)

Le Alpi

Le Alpi si sviluppano da ovest a est lungo tutto il confine nord dell'Italia, creando una barriera naturale di circa 1.200 km. Contengono la cima più alta d'Europa, il Monte Bianco (4.810 m), situato tra la Valle d'Aosta e la Francia. Le Dolomiti, dichiarate Patrimonio dell'Umanità dall'UNESCO nel 2009, sono il gruppo montuoso probabilmente più noto delle Alpi grazie al loro aspetto peculiare: spigoloso e ricco di dislivelli. Ma, nel complesso, l'intera catena montuosa crea un paesaggio davvero suggestivo che, nel corso dei secoli, ha alimentato l'immaginario collettivo dando luogo a numerose leggende e ispirando scrittori, come il bellunese Dino Buzzati o l'asiaghese Mario Rigoni Stern, e pittori, come Giovanni Segantini, Mario Sironi o Guglielmo Ciardi. Dal punto di vista economico, oltre a vivere di tursimo, le regioni alpine possono contare su molteplici risorse che hanno permesso lo sviluppo di differenti settori economici: l'abbondanza d'acqua e la presenza di ripidi pendii favoriscono la produzione di energia idroelettrica, la presenza di piombo, ferro, zinco, ecc., la produzione mineraria. Sono inoltre sviluppate sia le attività agricole che pastorali, grazie alle quali si producono delizie come le mele della Val di Non e della Val Venosta, la bresaola della Valtellina (un salume ottenuto dalla carne di manzo) o il Taleggio, uno squisito formaggio prodotto in alcune province del Piemonte, della Lombardia e del Veneto. Le Alpi sono state anche testimoni di grandiose imprese, come la traversata del cartaginese Annibale con i suoi elefanti, e teatro di cruente battaglie, specialmente durante la Prima guerra mondiale.

Una verde veduta dell'Alta Val Venosta (Bolzano)

Gli Appennini

Gli Appennini attraversano tutta la penisola italiana da nord a sud disegnando un arco lungo 1.350 km che arriva fino in Sicilia (Appenino siculo). Dividono letteralmente la superficie della penisola in due versanti, tirrenico e adriatico, che presentano aspetti anche molto differenti tra loro. Rispetto alle Alpi, gli Appennini hanno un'altezza inferiore: il punto più alto è costituito dal Corno Grande del Gran Sasso (Abruzzo) con 2.912 m di altitudine sul livello del mare.
Il paesaggio creato dalle montagne appenniniche non è forse così spettacolare come quello alpino e le forme sono in generale più dolci, con cime tondeggianti e declivi che digradano soavemente. Tuttavia possiedono un fascino e una bellezza che hanno toccato sensibilità artistiche dello spessore di Giacomo Leopardi, che ribattezza "monti azzurri" i Monti Sibillini. Proprio questi monti, con una natura incantevole e panorami quasi paradisiaci, hanno inoltre fomentato l'immaginazione popolare dando luogo a numerosi miti e leggende, come la Sibilla Appenninica e le Fate sibilline che abitavano una misteriosa grotta, punto d'accesso a un regno incantato.

Il Massiccio del Sirino (Appennino lucano) e il paesaggio incantato dei Monti Sibillini con il Lago di Pilato

> **Gli Appennini sono per me un pezzo meraviglioso del creato. [...] È un così bizzarro groviglio di pareti montuose, a ridosso l'una dell'altra [...].**
>
> Johann Wolfgang von Goethe, *Viaggio in Italia*

Le colline

Colline marchigiane a perdita d'occhio

Le colline, che ricoprono la maggior parte del territorio italiano, si trovano prevalentemente nella parte centro-meridionale della penisola, lungo i fianchi degli Appennini, ma anche nella zona prealpina, a ridosso delle Alpi.
Si tratta di rilievi che presentano pendii lievi e che hanno origini diverse: possono essere nate dall'innalzamento dei fondali marini, come il Monferrato (Piemonte) e le Murge (Basilicata e Puglia), o dai depositi di terra portati da antichi ghiacciai, come le colline della Brianza (Lombardia), o derivare da antichi vulcani, come i Colli Euganei (Veneto) o i Colli Albani (Lazio). I dolci pendii e le alture contenute caratterizzano molti tra i paesaggi più apprezzati d'Italia, come le famose colline toscane e umbre o le armoniose colline marchigiane che arrivano al mare. L'attività agricola svolta in queste zone contribuisce a rendere il paesaggio ancora più caratteristico, colorando i morbidi fianchi dei rilievi con campi di grano, vigneti e alberi da frutta.

Le pianure

Geografia: le pianure occupano solo 1/4 della superficie totale dell'Italia. Sono vaste estensioni di terra caratterizzate dalla mancanza di rilievi e dislivelli. L'origine delle pianure può essere da sollevamento, alluvionale o vulcanica.

Particolarità: le pianure rappresentano il territorio più agevole per la vita dell'uomo e sono, infatti, le zone che più di tutte hanno subito trasformazioni: qui si concentrano non solo differenti tipi di coltivazione, ma anche le maggiori vie di comunicazione e le zone industriali.

www.parco-maremma.it

La pianura di Campidano (Sardegna) e un suggestivo paesaggio invernale della Pianura Padana ↗

La Valle d'Itria (Puglia) →

I colori della pianura vicino a Correggio (Reggio Emilia)

La Pianura Padana

È una delle più grandi pianure europee e la più grande d'Italia. Si estende per ben 47.820 km^2, dalle Alpi Occidentali al mare Adriatico. Ha forma di triangolo ed è attraversata da vari fiumi, tra cui il Po, da cui prende il nome. Il clima padano non è tra i più gradevoli: gli inverni sono, infatti, piuttosto freddi (con temperature al di sotto dello zero) e le estati torride. La particolare posizione geografica della pianura, chiusa tra alte catene montuose e aperta solo sul lato orientale, oltre a ostacolare la circolazione dei venti e a favorire l'accumulo di umidità, è causa del noto fenomeno della nebbia. Proprio questo suo particolare clima ha contribuito a creare un'atmosfera molto peculiare con degli scenari nebbiosi e velati che sono entrati nelle opere di poeti e scrittori come Giovanni Pascoli, Giorgio Bassani e Gianni Celati e che rivivono nella personale e originale interpretazione che il pittore naïf Antonio Ligabue ne ha fatto nei sui quadri. Il clima rigido non ha, tuttavia, ostacolato il popolamento della zona: nella Pianura Padana vive più di un quarto dell'intera popolazione italiana, dato che non stupisce se si considera che qui si concentrano le attività economiche più importanti del paese sia in ambito agricolo che industriale. Tra le coltivazioni tipiche ci sono il grano, il mais e il riso che si rispecchiano nei piatti tipici della zona come la polenta o gli ottimi risotti. Sono importanti anche le coltivazioni di piante industriali, come la canapa e il lino per l'industria tessile e il pioppo per quella cartaria.

Risaie e fiume Po vicino a Vercelli

La Maremma

È compresa tra Toscana e Lazio e si affaccia sul Mar Tirreno e sul Mar Ligure. Si tratta di un territorio piuttosto vasto che presenta ambienti diversi tra loro. Comprende, infatti, sia zone costiere che dell'entroterra. Si distinguono tre aree: la Maremma pisana (o livornese), la Maremma grossetana e la Maremma laziale. Il nome deriverebbe dal latino *loca maritima*, che indicava una regione paludosa, o dallo spagnolo *marisma*, che significa terreno coperto di fango e acqua stagnante. Questa terra presentava, infatti, ampie zone paludose che sono state bonificate a partire dal XVII sec. grazie soprattutto a Ferdinando III e Leopoldo II di Toscana. Oltre al problema dei terreni paludosi non coltivabili, c'era anche quello della malaria, una malattia allora mortale, a cui si aggiungevano il brigantaggio e l'analfabetismo. Ecco perché, in una famosa canzone popolare, viene definita "Maremma amara". Oggi questa bellissima terra ha perso i suoi caratteri più duri e aspri, ma ha mantenuto un'aria un po' selvaggia e segnata da forti contrasti. Le aree incontaminate protette che preservano intatte la flora e la fauna del luogo sono molte, tra cui l'importante Parco Naturale della Maremma e l'Area archeologica di Vulci.

Un campo di girasoli nella Maremma grossetana e i caratteristici Butteri al lavoro con una mandria di vacche maremmane (Giovanni Fattori, 1894)

La vista si perde ammirando il Tavoliere delle Puglie

> Se il Signore avesse conosciuto questa piana di Puglia, luce dei miei occhi, si sarebbe fermato a vivere qui.
>
> Federico II di Svevia

Il Tavoliere delle Puglie

Dopo la Pianura Padana, è il più vasto territorio pianeggiante d'Italia. Si estende nella parte settentrionale della Puglia, nella provincia di Foggia. Il nome *Tavoliere* deriva dal catasto romano, organizzato in *Tabulae censuariae*, su cui venivano annotate le proprietà terriere destinate al pascolo o alle coltivazioni. In epoca medievale questa zona veniva utilizzata principalmente per attività d'allevamento e oggi rappresenta un'importante area agricola destinata alla coltivazione di frumento, barbabietola, pomodoro e caratterizzata da numerosi oliveti e vitigni che danno pregiati oli DOP e vini DOC. Nelle giornate di buona visibilità l'occhio si perde nella vastità di questo territorio così pianeggiante e non stupiscono le parole di Federico II di Svevia: "Se il Signore avesse conosciuto questa piana di Puglia, luce dei miei occhi, si sarebbe fermato a vivere qui". La sensazione d'infinito è davvero emozionante.

I laghi

Geografia: i laghi italiani si concentrano soprattutto nell'area alpina e prealpina del Nord Italia. I tre laghi principali (Lago di Garda, Lago Maggiore, Lago di Como) si trovano in Lombardia, Veneto e Piemonte. Nell'Italia centrale, nella fascia appenninica tra Toscana e Umbria e nel Lazio, si incontrano altri laghi importanti, come il Lago Trasimeno (Umbria), il Lago di Bolsena, di origine vulcanica, e il Lago di Bracciano (Lazio). I laghi italiani si distinguono in alpini, prealpini, appennici e costieri.

Particolarità: tra i paesi del Mediterraneo, l'Italia è quello con il maggior numero di laghi. Fino al 1873 il terzo lago italiano per estensione era il lago del Fucino (150 km^2), nell'attuale Abruzzo, che si è poi prosciugato completamente.

www.laghiinitalia.com

Il Lago di Garda, il Lago Maggiore e il Lago di Como: i tre maggiori laghi italiani ↗ →

Il Lago Maggiore

Secondo lago italiano per estensione (212 km^2) dopo il Lago di Garda (370 km^2), il nome "Maggiore" deriva dal fatto che prima era ritenuto il più grande lago prealpino. L'80% della sua superficie è situato in territorio italiano e il 20% in territorio svizzero. La parte italiana, si trova tra Lombardia e Piemonte. Il Lago Maggiore è caratterizzato dalla presenza di numerose isole, in totale 11: tra queste si trovano le Isole Borromee che comprendono l'Isola Madre, l'Isola Bella e l'Isola dei Pescatori. Il nome di questo arcipelago viene dai Borromeo, una potente famiglia originaria di Firenze che nel XIV sec. divenne proprietaria delle isole. L'Isola Madre e l'Isola Bella ospitano splendidi palazzi e giardini che testimoniano l'importanza che ebbe la famiglia. Spettacolare il grande giardino all'inglese di quasi 8 ettari dell'Isola Madre, un giardino botanico in cui si possono ammirare glicini, piante subtropicali, fiori esotici e uccelli dai colori vivaci. L'Isola Bella è, invece, quasi interamente occupata dal Palazzo Borromeo e dal giardino all'italiana che Carlo III di Borromeo decise di costruire per la moglie Isabella d'Adda (XVII sec.). Il giardino è composto da dieci terrazze sovrapposte ed è abbellito da statue, fontane, piante esotiche e fiori. L'Isola dei Pescatori ha un aspetto ben differente e ospita un piccolo centro abitato caratterizzato da una piazzetta chiusa tra vicoli stretti e da case a più piani sorte per sfruttare al meglio il poco spazio a disposizione: quasi tutte queste case sono dotate di lunghi balconi indispensabili per far essiccare il pesce.

wisteria
La bellezza geometrica del giardino all'italiana (Isola Bella)

L'esuberante vegetazione dell'Isola Madre

Il Lago di Bolsena

È il lago di origine vulcanica più grande d'Europa, si trova nell'Italia centrale (nella provincia di Viterbo) e si è formato oltre 300.000 anni fa. Presenta una forma ovale, tipica della sua origine vulcanica e si estende per 113,5 km². È uno dei pochi laghi italiani grandi ad essere completamente balneabile: il lago è infatti dotato di un sistema di depurazione delle acque molto efficiente. Grazie a questa caratteristica si sono sviluppate numerose specie animali e vegetali, tra cui alghe e piante subacquee quasi completamente scomparse in altri bacini. L'abbondanza di pesci e la natura incontaminata attirano specie di uccelli acquatici di tutti i tipi. Per questa biodiversità il Lago di Bolsena è stato proposto come sito di interesse comunitario nel 2005. Oltre ad essere importante da un punto di vista naturalistico, questo lago ha anche una storia interessante: sulle sue sponde sono infatti passate varie civiltà come Villanoviani, Etruschi, Romani e, durante il Medioevo, Longobardi e Saraceni. Il periodo di massimo splendore fu durante il Ducato di Castro (XVI sec), quando entrò nei domini della famiglia Farnese. In questo periodo sorsero palazzi e residenze delle più importanti famiglie romane.

Vista panoramica del Lago di Bolsena di cui si nota la caratteristica forma ovale e dei piccoli di cigno, una delle specie che vivono stabilmente presso il lago

Vista aerea del Lago Trasimeno chiuso, come in un anfiteatro, dalle colline circostanti

Quel ramo del lago di Como, che volge a mezzogiorno, tra due catene non interrotte di monti, tutto a seni e a golfi [...] vien, quasi a un tratto, a ristringersi, e a prender corso e figura di fiume [...].

Alessandro Manzoni, *I promessi sposi*

Il Lago Trasimeno

È il lago più esteso dell'Italia centrale (128 km²) ed è caratterizzato da una scarsa profondità (4,3 m di media), peculiarità che lo fanno entrare nella categoria dei laghi laminari, laghi di grandi dimensioni ma poco profondi. Un'altra particolarità è quella di non possedere un emissario naturale, un corso d'acqua, cioè, che scarichi le sue acque, fatto che ha causato problemi in caso di alluvioni. Già all'epoca dei Romani si tentò di risolvere il problema con la costruzione di un emissario artificiale collegato al fiume Tevere. Nel XV sec. si realizzò un nuovo emissario, ma l'opera non fu risolutiva. Anche il celebre Leonardo da Vinci studiò un sistema idraulico, mai messo in opera, per regolare i flussi in eccesso. Nella seconda metà del XVI secolo papa Sisto V decise di deviare gli unici immissari naturali del Trasimeno, il Rigo Maggiore e la Tresa. Nel XIX secolo si realizzò un nuovo emissario, parallelo a quello del XV secolo e nel 1952 vennero reintrodotti gli immissari naturali per evitare il prosciugamento. Da un punto di vista storico, il lago è importante per la famosa battaglia tra Cartaginesi e Romani (217 a. C.), in cui Annibale e i suoi uomini sconfissero le legioni romane del console Gaio Flaminio.

I mari

Geografia: Il Mar Mediterraneo bagna i circa 7.300 km di costa italiana e assume diversi nomi a seconda della zona che tocca. Si distingue tra: Mar Ligure, Mar Tirreno, Mar Adriatico, Mar Ionio, Mar di Sardegna e Mar di Sicilia. Data la notevole estensione, i paesaggi marittimi italiani sono assai diversi e variegati.

Particolarità: Nel 2014 ben 269 spiagge italiane hanno ottenuto la Bandiera Blu, il riconoscimento internazionale conferito dalla FEE (Foundation for Environmental Education) alle località costiere che soddisfano criteri di qualità come la pulizia e i servizi offerti.

www.mareinitalia.it

La Grotta di Byron, Portovenere (Mar Ligure) ↗
Capo Falcone e l'isola dell'Asinara (Mar di Sardegna) e il Mar di Sicilia visto dall'isola di Pantelleria →

Chioggia sorge su un gruppo di isolette divise da canali e collegate fra loro da ponti

Mar Adriatico

Lungo 800 km, bagna l'intera costa orientale italiana, dal Friuli-Venezia Giulia alla Puglia, formando un bacino semichiuso situato tra la penisola italiana e quella balcanica. L'Adriatico non è un mare molto profondo, si va dai 300 m della parte settentrionale fino a un massimo di 1220 m circa nella parte meridionale. La scarsa profondità e il fatto che qui sfocino numerosi fiumi che apportano sostanze nutritive (Po, Piave, Isonzo, Adige, Reno, ecc.), lo rendono il mare più pescoso d'Italia. Un'altra caratteristica peculiare è l'ampiezza di marea ridotta (massimo 90 cm) che, fin dall'antichità, ha consentito la costruzione di centri abitati come Aquileia, Chioggia, Grado, Venezia e Ravenna. Le coste adriatiche italiane sono in generale basse, sabbiose e regolari, fatta eccezione per la costa triestina (Friuli-Venezia Giulia), il promontorio del Gargano (Puglia), il promontorio del Conero e il promontorio del San Bartolo (Marche). Punto d'incontro di differenti civilizzazioni, l'Adriatico è un mare ricco di leggende e miti, tra cui il Mito degli Argonauti, partiti alla ricerca del Vello d'oro, il Mito di Ulisse, che durante il suo celebre viaggio sostò in questo mare, e il Mito di Diomede, l'eroe greco che si fermò in vari porti insegnando alle popolazioni locali la navigazione e l'allevamento del cavallo. Ma l'Adriatico non è solo il luogo del mito, qui si trovano, infatti, importanti porti come Trieste, Venezia, Ancona, Bari e Brindisi in Italia, Fiume, Spalato e Albona in Croazia, che testimoniano le vivaci attività commerciale e turistica di questo mare.

Il promontorio del Conero (Marche)

Mar Ionio

È delimitato a nord dalle coste meridionali della penisola italiana e della Sicilia orientale, e a nord est da quelle dell'Albania meridionale e dalla Grecia, ed è il bacino più profondo del Mediterraneo (4000 m). Attraverso lo stretto di Messina comunica con il Mar Tirreno e attraverso il canale d'Otranto con il Mar Adriatico. Secondo la tradizione popolare, il punto d'incontro fisico tra Ionio e Adriatico è Santa Maria di Leuca; qui, in determinate condizioni, è visibile una linea di separazione longitudinale distinguibile cromaticamente, dovuta in realtà all'incontro fra le correnti del Golfo di Taranto e del Canale d'Otranto. Gli scambi commerciali fra i paesi che si affacciano sulle rive dello Ionio iniziarono nell'età micenea e si svilupparono dal sec. VIII a. C. con le colonie greche. Oggi è soprattutto un mare di transito, tuttavia possiede porti importanti come Catania, Siracusa, Taranto e Otranto. Il mar Ionio ha inoltre regalato alcuni ritrovamenti archeologici di notevole importanza come i Bronzi di Riace, due statue di bronzo del V sec. a. C. di provenienza greca esposte al Museo Nazionale della Magna Grecia di Reggio Calabria.

Il Mar Adriatico e il Mar Ionio s'incontrano a Santa Maria di Leuca

> Il mare non ha paese nemmen lui, è di tutti quelli che lo stanno ad ascoltare, di qua e di là dove nasce e muore il sole.
>
> Giovanni Verga, *I Malavoglia*

Veduta di Vulcano da Lipari (Isole Eolie) e la spiaggia di Serapo a Gaeta (Lazio)

Mar Tirreno

Compreso tra l'Arcipelago Toscano a nord, la penisola italiana a est, la Sicilia a sud e la Corsica e la Sardegna a ovest, il Tirreno è caratterizzato dalla presenza di vari arcipelaghi: difatti, al suo interno si trovano quasi tutte le isole italiane, tra cui le Eolie e le Egadi (Sicilia), le Pontine (Lazio), l'arcipelago Campano e quello Toscano. Un'altra caratteristica di questo mare sono le catene montuose sottomarine e i vulcani attivi, come il gigantesco vulcano sottomarino Marsili, che si estende sui fondali marini tra la Calabria e la Sicilia con una lunghezza di 70 km e una larghezza di oltre 30 km. La bellezza delle coste del Tirreno, i suoi colori, le isole e gli scorci illuminati da tramonti si sono trasformati spesso in riflessioni e in poesie, come nei versi del sonetto *Del mar Tirreno a la sinistra riva* che fa parte del famoso *Canzoniere* di Francesco Petrarca (XIV sec.), o in storie uniche e affascinanti come *L'isola di Arturo*, romanzo di Elsa Morante ambientato sull'idilliaca isola di Procida (Napoli).

Le isole

Geografia: I mari d'Italia sono costellati da numerose isole. Le più grandi per estensione sono Sicilia e Sardegna, mentre le isole minori, circa un centinaio, sono dislocate lungo tutte le coste d'Italia, spesso riunite in arcipelaghi più o meno vasti. Presentano una gran varietà di paesaggi naturali, dovuti alla diversa origine geologica e alla latitudine, nonché una ricchezza faunistica degna di nota.

Particolarità: Tra le oltre 800 isole che formano il patrimonio insulare italiano, spiccano alcuni arcipelaghi, dichiarati Patrimonio dell'umanità dall'Unesco: le isole della laguna veneta (1987), le isole di Palmaria, Tino e Tinetto, al largo della costa ligure (1997) e l'arcipelago siciliano delle isole Eolie (2000).

www.lamaddalenapark.it

L'Isola di Palmaria (Liguria) ↗
Chiaia di luna (Isola di Ponza, Lazio) e San Giorgio Maggiore
(laguna veneta) vista dall'alto →

Le Isole Eolie viste dall'alto

Le Isole Eolie

Situate nel Mar Tirreno meridionale e disseminate lungo la costa nordorientale della Sicilia, le isole Eolie formano un arcipelago di sette isole di origine vulcanica: Stromboli, Panarea, Salina, Lipari, Vulcano, Filicudi e Alicudi. Secondo la mitologia greca, il loro nome si deve a Eolo, dio dei venti, che aveva eletto a sua dimora l'isola di Lipari, dove controllava e custodiva i venti. I primi insediamenti umani risalgono agli ultimi secoli del V millennio a.C. e si devono alla presenza dell'ossidiana, il vetro nero eruttato dai vulcani che si origina a causa del rapido raffreddamento della lava. Quando l'uomo non conosceva ancora la lavorazione dei metalli, l'ossidiana costituiva il materiale più tagliente a disposizione ed era quindi ricercatissimo; iniziò allora un commercio dall'isola di Lipari che generò traffici commerciali intensi che conferirerono prosperità alle isole. Oggi, l'economia delle isole Eolie si incentra sulla viticoltura, sul turismo e su alcuni prodotti tipici dell'isola come i capperi, l'uva passa, la malvasia e la produzione di pomice. A partire dal '700 le isole Eolie divennero meta di celebri viaggi che sono giunti fino a noi tramite i diari di viaggio: tra le personalità più importanti spicca l'arciduca Luigi Salvatore d'Austria, che ha illustrato con dovizia di particolari la vita eoliana di quel tempo. In una delle isole, a Salina, è stato girato poi, nel 1994, il bellissimo film Il Postino, interpretato dall'attore Massimo Troisi, premiato con l'oscar per la migliore colonna sonora, opera del musicista Luis Bacalov.

L'Isola d'Elba

È la terza isola d'Italia per estensione dopo la Sicilia e la Sardegna ed è situata all'altezza della costa toscana nel Mar Tirreno. Le coste dell'isola sono alte e rocciose e caratterizzate da numerose sporgenze e ampie insenature sabbiose, che regalano all'isola delle spiagge incantevoli. Il capoluogo è Portoferraio che custodisce alcuni grandi tesori della culura elbana, come la Villa Romana delle grotte, anche se fu soprattutto grazie al dominio della famiglia De' Medici nel XVI secolo che Portoferraio acquisì splendore e importanza. Oggi, la popolazione si dedica prevalentemente alla coltura della vite e dell'olio, alla pesca e a tutte quelle attività legate al turismo. L'isola ha anche accolto personaggi storici celebri come Napoleone Bonaparte che la scelse come primo luogo d'esilio quando fu costretto ad abdicare come imperatore nel 1814. Dal 1962, inoltre, l'Elba ospita il Premio Internazionale della Letteratura Raffaello Brignetti: grazie a quest'evento sono stati premiati scrittori fondamentali nel panorama letterario e culturale italiano come Mario Luzi, Alberto Bevilacqua e il grande poeta Eugenio Montale, premiato nell'isola nel 1962, ancor prima di ricevere il Nobel per la Letteratura nel 1975.

Vista di Portoferraio con la peculiare insenatura naturale che accoglie il porto e la Darsena Medicea

M'è caro ormai l'esilio, mi son care ormai quest'alte rupi e queste rive gialle di zolfo e di ginestre.

Curzio Malaparte, durante il "caro esilio" alle Isole Eolie (ottobre 1934 - giugno 1935)

Un'incantevole caletta di Caprera

L'Arcipelago della Maddalena

Situato a nord-est della Sardegna, al largo della costa Smeralda, questo gruppo di isole è composto da La Maddalena, Caprera, Santo Stefano, Budelli, Santa Maria, Razzoli, Spargi e altri isolotti minori. L'arcipelago e le sue spiagge, grazie alla flora e alla fauna marina, costituiscono un parco geomarino che si estende su una superficie di circa 20.000 ettari, tra terra e mare, e di 180 km di coste. Il paesaggio appare un po' solitario e selvaggio in cui spiccano le sagome di enormi rocce di natura granitica, le cui forme costituiscono veri e propri monumenti naturali. L'arcipelago ha una certa importanza anche dal punto di vista storico: sull'isola di Caprera, infatti, soggiornò Garibaldi, prima in esilio e poi come dimora fissa. Fu proprio su quest'isola che fu concepito il progetto dell'unità d'Italia e da qui l'eroe partì per il grande sogno unitario.

PREFISSI E SUFFISSI

Si aggiungono a nomi e aggettivi per alterarne il significato.

I PREFISSI NEGATIVI IN-, S-, DIS-

Si aggiungono agli aggettivi, precedendoli, per dare un significato negativo, contrario.

adatto → **in**adatto

possibile → **im**possibile (**im**- davanti a *p, m, b*)

logico → **il**logico (**il**- davanti a *l*)

responsabile → **ir**responsabile (**ir**- davanti a *r*)

corretto → **s**corretto

onesto → **dis**onesto

IL SUFFISSO -BILE

Applicato alla radice del verbo, dà luogo a un aggettivo con il significato di possibilità.

realizz**are** → realizz - **a** - bile → realizza**bile**

= che si può realizzare

cred**ere** → cred - **i** -bile → credi**bile**

= che si può credere

restitu**ire** → restitu - **i** -bile → restitui**bile**

= che si può restituire

I NOMI E GLI AGGETTIVI ALTERATI

È possibile aggiungere dei suffissi ai nomi e agli aggettivi per alterarne il significato: quantità, qualità, giudizio del parlante.

- ▸ **-ino** e **-etto**: alterati diminutivi (*gatto - gattino; coniglio - coniglietto; bello - bellino*)
- ▸ **-one**: alterato accrescitivo (*gatto - gattone; pigro-pigrone*)
- ▸ **-accio**: alterato peggiorativo (*cane - cagnaccio; ragazzo - ragazzaccio; avaro - avaraccio*)

AVVERBI IN -MENTE

Aggiungendo il suffisso **-mente** a un aggettivo si ottengono degli avverbi.

Gli aggettivi che hanno il maschile in **-o** formano l'avverbio dal femminile:

vero + **mente** → ver**a**mente

Gli aggettivi in **-e**, formano l'avverbio dalla forma unica:

felice + **mente** → felic**e**mente

Gli aggettivi in **-e** che hanno come ultima sillaba **-le** o **-re** perdono la **-e** finale:

facile + **mente** → facil**mente**

celere + **mente** → celer**mente**

I PRONOMI RELATIVI

Mettono in relazione la proposizione principale con la proposizione subordinata e sostituiscono un elemento (un nome, un pronome, una frase) della principale.

CHE

Si usa come soggetto e complemento diretto ed è invariabile in genere e numero.

L'amico vero è la persona **che** *ti dice la verità.* (soggetto)
Il ragazzo **che** *ho conosciuto oggi è simpatico.* (oggetto)

CUI

Si usa come complemento indiretto, è preceduto da una preposizione ed è invariabile in genere e numero.

L'amico vero è la persona **con cui** *puoi parlare di tutto.*
Ho visto il ragazzo **a cui** *hai affittato la camera.*
Paola è la ragazza **di cui** *ti ho parlato ieri.*
L'appendiabiti è una cosa **su cui** *appendere vestiti.*
Questa è la cannula, **da cui** *esce il caffè.*
Questo è il motivo **per cui** *ti ho chiamato.*

IL QUALE / LA QUALE / I QUALI / LE QUALI

Possono sostituire **che** o **cui** e concordano in genere e numero con la persona o cosa a cui si riferiscono. Questa forma di relativo si usa in un registro formale.

Questi sono i dati **sui quali** *si basa la nuova linea di ricerca.* (su cui)
Il progetto è portato avanti da un gruppo di scienziati italiani, **i quali** *provengono dalle migliori università d'Italia.* (che)
La giovane coppia fugge sulla Luna, **la quale** *costituisce una delle maggiori colonie della Terra.* (che)
I tecnici del laboratorio hanno esposto tutte le ragioni **per le quali** *hanno rifiutato il progetto.* (per cui)

I PRONOMI COMBINATI

Si parla di pronomi combinati quando nella stessa frase compaiono un pronome indiretto o un pronome riflessivo con un pronome diretto o il **ne**.
Nei pronomi combinati, i pronomi **mi**, **ti**, **ci** e **vi** cambiano la vocale: **i** → **e**.
I pronomi combinati di 3ª persona formano un'unica parola.

	lo	la	li	le	ne
mi	me lo	me la	me li	me le	me ne
ti	te lo	te la	te li	te le	te ne
gli / le	glielo	gliela	glieli	gliele	gliene
ci	ce lo	ce la	ce li	ce le	ce ne
vi	ve lo	ve la	ve li	ve le	ve ne
gli	glielo	gliela	glieli	gliele	gliene
si	se lo	se la	se li	se le	se ne

I COMPARATIVI

COMPARAZIONE TRA DUE SOSTANTIVI

Il secondo termine di paragone viene introdotto da **di** quando si comparano due soggetti diversi rispetto alla stessa caratteristica.
*Roma è più grande **di** Milano.*

Se il secondo termine di paragone è preceduto da una preposizione, viene introdotto da **che**.
*Con la metropolitana si fa prima **che con** l'autobus.*

COMPARAZIONE TRA DUE AGGETTIVI

Il secondo termine di paragone è introdotto da **che** quando si comparano due caratteristiche rispetto allo stesso soggetto.
*L'apribottiglie è più originale **che** funzionale.*

COMPARAZIONE TRA DUE VERBI

Il secondo termine di paragone è introdotto da **che** quando si comparano due funzioni rispetto allo stesso soggetto.
*L'appendiabiti arreda più **che** essere utile.*

I CONNETTIVI

CONCESSIVI

Introducono proposizioni concessive, cioè che esprimono una conclusione imprevista, non logica.
Benché e **sebbene** richiedono l'uso del congiuntivo, **anche se** l'uso dell'indicativo.
*Benché / Sebbene Luca **sia** molto preparato, non ha ottenuto il nuovo incarico.*
*Anche se Luca **è** molto preparato, non ha ottenuto il nuovo incarico.*

TEMPORALI

Per cominciare: in primo luogo, innanzitutto, all'inizio, prima.
Per proseguire: poi, allora, in seguito, dopodiché, a questo punto.
Per indicare contemporaneità: intanto, nel frattempo.
Per concludere: infine, alla fine.

LIMITATIVI

Esprimono una limitazione, un'eccezione:
*Io non me ne andrei, **a meno che** non fosse necessario.*
*Non chiederei aiuto a Gianni, **tranne che** fossi obbligato dalle circostanze.*
*Io glielo direi **senza che** Romina lo venga a sapere.*

CONDIZIONALI

Introducono una condizione necessaria:
Se tu fossi più sincero, mi fiderei molto di più.
*Ecco le chiavi, **nel caso che** ne avessi bisogno.*
*Io accetterei **a condizione che** mi pagassero molto di più.*

LE PROPOSIZIONI SUBORDINATE

Dipendono logicamente e grammaticalmente dalla proposizione principale.

PROPOSIZIONE PRINCIPALE + OGGETTO + CHE RELATIVO + INDICATIVO

*Non sopporto **le persone che parlano** a voce alta.*
*Odio **le persone che abbandonano** gli animali.*

PROPOSIZIONE PRINCIPALE + CHE CONGIUNZIONE + FRASE CON CONGIUNTIVO

*Non sopporto **che le persone parlino** a voce alta.*
*Odio **che le persone abbandonino** gli animali.*

PROPOSIZIONE PRINCIPALE + DI + INFINITO

Quando il soggetto della proposizione secondaria coincide con quello della principale.
*Credo **di avere** preso la decisione giusta. (io)*
*Gaia spera **di partire** con voi per Torino. (Gaia)*

PROPOSIZIONE PRINCIPALE + CHE + CONGIUNTIVO

Quando il soggetto della proposizione secondaria **non** coincide con quello della principale.
*(Io) Credo **che** Daniela **abbia** preso la decisione giusta.*
*(Io) Spero **che** Gaia **parta** con voi per Torino.*

IL COSTRUTTO PASSIVO

ESSERE + PARTICIPIO PASSATO

Il verbo **essere** può essere utilizzato al presente, al passato e al futuro.
*L'esposizione **è organizzata** dal Comune.*
*L'opera d'arte **è stata realizzata** quattro secoli fa.*
*La biblioteca **sarà restaurata** il prossimo anno.*

ANDARE + PARTICIPIO PASSATO

L'uso del verbo **andare** al posto di **essere** aggiunge un valore di obbligo al costrutto passivo. È più frequente il suo uso al presente, ma si può utilizzare anche al futuro.
*Il documento **va letto** prima della riunione.*
*La biblioteca **andrà restaurata** il prima possibile.*

Per riferirsi al passato, **andare** si coniuga all'imperfetto.
*La biblioteca **andava restaurata** l'anno scorso.*

VENIRE + PARTICIPIO PASSATO

Al posto di **essere** si può utilizzare il verbo **venire**, che si coniuga nei tempi semplici del presente, del passato o del futuro.
*L'esposizione **viene organizzata** dal Comune.*
*L'opera d'arte **venne realizzata** quattro secoli fa.*
*La biblioteca **verrà restaurata** il prossimo anno.*

SI PASSIVANTE

Possiamo utilizzare questa costruzione solo con i verbi transitivi alla 3ª persona singolare o plurale.
***Si realizzano** abiti su misura.*
*Questo piatto **si prepara** con il parmigiano.*

Si usano i tempi del presente, del passato o del futuro.
*L'anno scorso **si sono effettuate** 5000 visite.*
*Il museo **si inaugurerà** tra due settimane.*

LA PREPOSIZIONE DA

COMPLEMENTO D'AGENTE E CAUSA EFFICIENTE

Nella forma passiva, **da** introduce la persona, l'animale o la cosa che compie l'azione.
*La biblioteca è frequentata **da molti studenti**.*
*Il carro è tirato **da un cavallo**.*
*La costa è stata modellata **dal mare**.*

PER ESPRIMERE UNA SFUMATURA DI OBBLIGO: DA + INFINITO

Un libro **da leggere**.
Una città **da visitare**.

PER ESPRIMERE LA FUNZIONE DI UN OGGETTO

Macchina **da** scrivere / cucire.
Occhiali **da** sole / vista.

IL DISCORSO DIRETTO E INDIRETTO

DIRETTO	INDIRETTO
Arrivo alle 10.	Dice / ha detto che **arriva** alle 10.
Mi piacciono i dolci.	Dice / ha detto che **gli** / **le** piacciono i dolci.
Mia moglie è fuori città.	Dice / ha detto che **sua** moglie è fuori città.
Questo cavatappi non funziona.	Ha detto / disse che **quel** cavatappi non funziona.
Ieri ho incontrato Flavia.	Ha detto / disse che **il giorno prima** aveva incontrato Flavia.
Oggi andiamo da Marco.	Ha detto / disse che **quel giorno** andavano da Marco.
Domani partiamo per Pisa.	Ha detto / disse che **il giorno dopo** sarebbero partiti per Pisa.
Qui /**qua** non c'è posto.	Ha detto / disse che **lì** / **là** non c'era posto.
Abito vicino alla stazione.	Ha detto / disse che **abitava** vicino alla stazione.
Lavoravo con mia sorella.	Ha detto / disse che **lavorava** con sua sorella.
Sono stata nella nuova biblioteca.	Ha detto / disse che **era stata** nella nuova biblioteca.
Partiamo / **partiremo** tra due giorni.	Ha detto / disse che **sarebbero partiti** tra due giorni.
Mangerei volentieri del gelato.	Ha detto / disse che **avrebbe mangiato** volentieri del gelato.
Finisci i compiti.	Ha detto / disse **di finire** i compiti.
Dove vive Marina?	Chiede **dove** vive Marina.
Domani viene anche Samuele?	Chiede **se** domani viene anche Samuele.

 Se il discorso indiretto è introdotto da un verbo al presente, alcuni elementi non cambiano:
Vado a prendere Giulia. → Dice che **va** a prendere Giulia.
Abbiamo comprato del vino molto buono. → Dice che **hanno comprato** del vino molto buono.
Questa enoteca è molto cara. → Dice che **questa** enoteca è molto cara.
Ieri sono arrivati i miei nipoti. → Dice che **ieri** sono arrivati i suoi nipoti.
Oggi esco prima dal lavoro. → Dice che **oggi** esce prima dal lavoro.
Domani inaugurano il nuovo bar. → Dice che **domani** inaugurano il nuovo bar.
Qui / **qua** si mangia molto bene. → Dice che **qui** / **qua** si mangia molto bene.

IL PERIODO IPOTETICO DELLA POSSIBILITÀ

L'ipotesi (condizione) è presentata come possibile, quindi la conseguenza potrebbe o non potrebbe accadere.

CONDIZIONE:	CONSEGUENZA:
se + congiuntivo imperfetto	condizionale presente
Se vincessi alla lotteria,	*comprerei una casa.*
Se stessi più attento,	*non perderesti tutto.*
Se potesse,	*Bruno se ne andrebbe subito.*

LE PREPOSIZIONI

DI

Sono **di** Lisbona. (origine)
Questa è la macchina **di** mia sorella. (appartenenza)
Un bicchiere **di** plastica. (materia)

A

Vivo **a** Berlino. (residenza)
Vado **a** Firenze. (destinazione)
Il film finisce **a** mezzanotte. (momento dell'azione)
La camicia **a** quadri. (caratteristica)

DA

Vengo **da** Venezia. (provenienza)
Da giovedì sono in vacanza. (inizio dell'azione)
Studio cinese **da** un anno. (tempo)
Stasera andiamo a cena **da** Laura. (a casa di)

IN

Viviamo **in** Toscana. (residenza)
Domani Carla va **in** Austria. (destinazione)
Un apribottiglie **in** metallo. (materia)

CON

Vado a pattinare **con** Francesco. (compagnia)

SU

Il dizionario è **sul** tavolo. (equivale a sopra)

PER

Ho studiato inglese **per** cinque anni. (durata)
Un calice **per** il vino rosso. (finalità)

TRA / FRA

Tra / fra le due e le tre pranzo. (intervallo di tempo)

COMUNICARE

DESCRIVERE UN OGGETTO

La moka **serve per preparare** il caffè. **È composta da** cinque elementi: la caldaia, il serbatoio, il filtro...

ESPRIMERE OPINIONI E PUNTI DI VISTA

Sono sicuro/a / convinto/a che sia / è la cosa giusta.
Penso che serva per aprire le scatolette.
Ho l'impressione che Mario **sia** molto nervoso.
Immagino che il Comune **abbia risolto** il problema.
Secondo me devi decidere tu.

FORMULARE UN'IPOTESI

È possibile / probabile che sia un portachiavi.
Può darsi che domani i tassisti **facciano** sciopero.
Forse domani i tassisti **fanno** sciopero.
Può / potrebbe servire per tagliare le verdure.
Sarà un apriscatole automatico.
Questo aggeggio **deve funzionare** a pile.

ESPRIMERE UN FINE, UNO SCOPO

Aggiungete del parmigiano **per dare** più sapore.
Aggiungete del parmigiano **perché** il piatto **sia** più buono.

ESPRIMERE DESIDERI

Vorrei / mi piacerebbe fare il giro del mondo.
Vorrei / mi piacerebbe che le cose **funzionassero** meglio.

FARE IPOTESI SUL FUTURO

Probabilmente / sicuramente fra 30 anni **troveranno / avranno trovato** energie alternative.
Penso / credo / sono sicuro/a che tra qualche anno **risolveranno / avranno risolto** il problema dell'inquinamento.

ESPRIMERE UN'AZIONE IMMINENTE

Stanno per lanciare un nuovo modello di tablet.
Scusa ma **stavo per uscire**, ti chiamo io dopo.
Marianna **starà per tornare**, è andata via tre ore fa.

MAGARI

Magari potessi viaggiare nel tempo!
Magari possiamo comprare una macchina per il pane.
• Secondo me ti prendono per quel lavoro.
▸ **Magari**!

MICA

Non funziona **mica** questo tostapane.
Mica hai preso la mia penna?

ANZI

Un caffè? Mmmm, no grazie... **Anzi**, sì va!
Questo romanzo è fantastico, **anzi** spettacolare!

CHISSÀ

Chissà se l'uomo colonizzerà la galassia un giorno...

IL TRAPASSATO PROSSIMO

AUSILIARE *AVERE* O *ESSERE* ALL'IMPERFETTO	+	PARTICIPIO PASSATO
avevo avevi aveva avevamo avevate avevano		studiat**o**
ero eri era eravamo eravate erano		andat**o/a** andat**i/e**

IL CONDIZIONALE PASSATO

AUSILIARE *AVERE* O *ESSERE* AL CONDIZIONALE SEMPLICE	+	PARTICIPIO PASSATO
avrei avresti avrebbe avremmo avreste avrebbero		parlat**o**
sarei saresti sarebbe saremmo sareste sarebbero		andat**o/a** andat**i/e**

IL GERUNDIO SEMPLICE

and**are** → and**ando**   fare → fac**endo** (da *facere*)
prend**ere** → prend**endo**   dire → dic**endo** (da *dicere*)
dorm**ire** → dorm**endo**   bere → bev**endo** (da *bevere*)

IL PASSATO REMOTO

PARLARE	CREDERE	PARTIRE	ESSERE	AVERE	STARE
parl**ai**	cred**etti/ei**	part**ii**	fui	ebbi	stetti
parl**asti**	cred**esti**	part**isti**	fosti	avesti	stesti
parl**ò**	cred**ette/é**	part**ì**	fu	ebbe	stette
parl**ammo**	cred**emmo**	part**immo**	fummo	avemmo	stemmo
parl**aste**	cred**este**	part**iste**	foste	aveste	steste
parl**arono**	cred**ettero/erono**	part**irono**	furono	ebbero	stettero

DARE	FARE	DIRE	RISPONDERE	CHIEDERE	VEDERE
diedi	feci	dissi	risposi	chiesi	vidi
desti	facesti	dicesti	rispondesti	chiedetti	vedesti
diede	fece	disse	rispose	chiese	vide
demmo	facemmo	dicemmo	rispondemmo	chiedemmo	vedemmo
deste	faceste	diceste	rispondeste	chiedeste	vedeste
diedero	fecero	dissero	risposero	chiesero	videro

scrivere: scrissi, scrivesti, scrisse, scrivemmo, scriveste, scrissero; **prendere:** presi, prendesti, prese, prendemmo, prendeste, presero;

mettere: misi, mettesti, mise, mettemmo, metteste, misero; **rimanere:** rimasi, rimanesti, rimase, rimanemmo, rimaneste, rimasero;

venire: venni, venisti, venne, venimmo, veniste, vennero; **nascere:** nacqui, nascesti, nacque, nascemmo, nasceste, nacquero

IL CONGIUNTIVO PRESENTE

PARLARE	PRENDERE	PARTIRE
parli	prenda	parta
parli	prenda	parta
parli	prenda	parta
parliamo	prendiamo	partiamo
parliate	prendiate	partiate
parlino	prendano	partano

CAPIRE	ESSERE	AVERE
capisca	sia	abbia
capisca	sia	abbia
capisca	sia	abbia
capiamo	siamo	abbiamo
capiate	siate	abbiate
capiscano	siano	abbiano

stare: stia, stia, stia, stiamo, stiate, stiano
andare: vada, vada, vada, andiamo, andiate, vadano
fare: faccia, faccia, faccia, facciamo, facciate, facciano
dire: dica, dica, dica, diciamo, diciate, dicano
bere: beva, beva, beva, beviamo, beviate, bevano
volere: voglia, voglia, voglia, vogliamo, vogliate, vogliano
venire: venga, venga, venga, veniamo, veniate, vengano
uscire: esca, esca, esca, usciamo, usciate, escano

IL CONGIUNTIVO PASSATO

AUSILIARE *AVERE* O *ESSERE* AL CONGIUNTIVO PRESENTE	+	PARTICIPIO PASSATO
abbia		
abbia		
abbia		parlat**o**
abbiamo		
abbiate		
abbiano		
sia		
sia		
sia		andat**o**/**a**
siamo		andat**i**/**e**
siate		
siano		

IL CONGIUNTIVO IMPERFETTO

PARLARE	AVERE	SENTIRE	CAPIRE
parlassi	avessi	sentissi	capissi
parlassi	avessi	sentissi	capissi
parlasse	avesse	sentisse	capisse
parlassimo	avessimo	sentissimo	capissimo
parlaste	aveste	sentiste	capiste
parlassero	avessero	sentissero	capissero

👁 I verbi come *capire, finire,* ecc., nella coniugazione del congiuntivo imperfetto non presentano -**isc**-.

ESSERE	STARE	DARE	FARE	DIRE	BERE
fossi	stessi	dessi	facessi	dicessi	bevessi
fossi	stessi	dessi	facessi	dicessi	bevessi
fosse	stesse	desse	facesse	dicesse	bevesse
fossimo	stessimo	dessimo	facessimo	dicessimo	bevessimo
foste	steste	deste	faceste	diceste	beveste
fossero	stessero	dessero	facessero	dicessero	bevessero

VERBI PRONOMINALI

CAVARSELA
me la cavo
te la cavi
se la cava
ce la caviamo
ve la cavate
se la cavano

FARCELA
ce la faccio
ce la fai
ce la fa
ce la facciamo
ce la fate
ce la fanno

FREGARSENE
me ne frego
te ne freghi
se ne frega
ce ne freghiamo
ve ne fregate
se ne fregano

SMETTERLA
la smetto
la smetti
la smette
la smettiamo
la smettete
la smettono

TIRARSELA
me la tiro
te la tiri
se la tira
ce la tiriamo
ve la tirate
se la tirano

CERCARSELA
me la cerco
te la cerchi
se la cerca
ce la cerchiamo
ve la cercate
se la cercano

STARSENE
me ne sto
te ne stai
se ne sta
ce ne stiamo
ve ne state
se ne stanno

INTERDERSENE
me ne intendo
te ne intendi
se ne intende
ce ne intendiamo
ve ne intendete
se ne intendono

DARCI DENTRO
ci do dentro
ci dai dentro
ci dà dentro
ci diamo dentro
ci date dentro
ci danno dentro

METTERCELA TUTTA
ce la metto tutta
ce la metti tutta
ce la mette tutta
ce la mettiamo tutta
ce la mettete tutta
ce la mettono tutta

DORMIRCI SOPRA/SU
ci dormo sopra/su
ci dormi sopra/su
ci dorme sopra/su
ci dormiamo sopra/su
ci dormite sopra/su
ci dormono sopra/su

👁 Il verbo **volercene** si usa alla 3ª persona singolare:
Ce ne vuole di impegno per arrivare alle Olimpiadi!

VERBI CON DUE AUSILIARI

Alcuni verbi come *cominciare, iniziare, finire, salire, scendere, cambiare*, ecc. formano i tempi composti con l'ausiliare essere (uso intransitivo) o avere (uso transitivo).
Il download del programma **è** *iniziato.*
(uso intransitivo)
Ho *iniziato a scaricare il programma.* (uso transitivo)
È *cambiata la programmazione del festival.*
(uso intransitivo)
Hanno *cambiato la programmazione del festival.* (uso transitivo)

VERBI CHE ESPRIMONO NECESSITÀ

Per fare un master **ci vuole** la laurea.
Per il pesto **ci vogliono** i pinoli.
Per una buona carbonara **occorre** il guanciale.
Per avere successo **occorrono** pazienza e sacrificio.
Per un mondo migliore **bisogna** essere più responsabili.

ALCUNI USI DELLA FORMA RIFLESSIVA

Alcuni verbi che normalmente non sono riflessivi posso essere usati con questa forma per enfatizzare che l'azione è compiuta dal soggetto e per renderli più espressivi.
Che fame! Adesso **mi mangio** *un piattone di pasta.*
Chi **si è mangiato** *l'ultima fetta di torta?*
Che dici, **ci beviamo** *questo Chianti?*
Ti sei letto *un libro di 500 pagine in un giorno?!*
Vi comprate *la macchina nuova? Che bello!*

UNITÀ 1 CHI TROVA UN AMICO...

Testi e contesti 3B – traccia 01
- Non ce la faccio più con gli sbalzi di umore di Martina, è insopportabile!
- Ma dai! Ha sedici anni, è in piena adolescenza!
- Questa è una scusa. Iacopo ne ha 14 ed è molto più tranquillo. Con Martina non si può proprio parlare. Non c'è dialogo! Sta sempre e solo con le amiche, e quando è a casa sta sempre davanti al computer o col cellulare a chattare!
- Devi avere pazienza, è un periodo delicato l'adolescenza. E comunque a scuola se la cava bene, ha sempre dei bei voti. I litigi con i genitori sono normali a questa età, deve trovare un suo spazio. Non prendertela così! Ma scusa non ti ricordi come eravamo noi?
- Certo che mi ricordo! Io le regole che mi davano i miei genitori le rispettavo. Se mi dicevano di tornare alle 10, io alle 10 ero a casa. Invece lei se ne frega! Non mi piace per niente che faccia tardi e che non ci dica cosa fa e dove va quando è fuori. Alla sua età è facile prendere brutte strade... Ah eccola!
- Allora, avete deciso se posso andare alla festa di sabato?
- Ma con chi ci vai? Chi c'è a questa festa?
- Ma dai mamma, uffa! E chi c'è? I miei amici, no?
- (sospiro) Elisabetta ci va? I suoi genitori la lasciano andare?
- Ma Elisabetta è una pizza! È una sfigata! I suoi sono pallosi, non le lasciano fare niente, neanche truccarsi un po'.
- Perché le vogliono bene e vogliono proteggerla?
- Sì va beh! Voi genitori volete sempre avere ragione e avete sempre da ridire su tutto: le gonne troppo corte, le magliette troppo scollate, il trucco è eccessivo, gli amici che non vanno bene!
- Robe da matti! Cosa mi tocca sentire! Sei tu che vuoi sempre avere ragione e che hai da ridire su ogni decisione che prendiamo!
- Guarda che non sono mica una bambina! Ho sedici anni ormai! Sono matura e responsabile, posso prendere le mie decisioni! E poi cosa volete? Vado anche bene a scuola! Con voi proprio non si può parlare!

Alla scoperta della lingua 2B – traccia 02
1. È stata una bella sorpresa incontrare Mauro a Boston, perché mi sentivo abbastanza sola così lontano da casa. Ci siamo dati appuntamento per prendere un caffè, poi per andare al cinema, per andare a un concerto... Sì insomma, abbiamo cominciato a uscire insieme e alla fine ci siamo sposati. Adesso quella che una volta era stata la mia migliore amica è mia cognata.
2. Tra me e Luciano, fin dal primo giorno, c'è stata un'ottima intesa. Condividevamo l'appartamento, uscivamo insieme e andavamo in vacanza insieme. Insomma, eravamo inseparabili! Amici per la pelle! Poi dopo l'università io sono tornato a Bolzano e lui a Sondrio e ci siamo persi un po' di vista... Però grazie a Facebook ci siamo ritrovati e adesso è più facile tenerci aggiornati e mantenere il contatto.
3. Meno male che c'era Maria a farmi coraggio e a tranquillizzarmi il giorno del mio debutto .... dai nervi non ricordavo neanche una battuta! Ora abbiamo una vita completamente diversa, io qui a Livorno a gestire l'azienda di famiglia e lei, ormai attrice famosa, vive a Londra. Nonostante la lontananza e le differenze siamo ancora buone amiche, anzi posso proprio dire che Maria è ancora la mia amica del cuore.

Alla scoperta della lingua 3A – traccia 03
Ciao! Mi chiamo Alessia e vengo da Roma. Allora, sto cercando un ragazzo aperto e moderno. Mi piace che gli uomini non siano così tradizionali come una volta, che per esempio non ti lascino pagare la tua parte della cena. Per me è molto importante avere una certa indipendenza e non avere un uomo che controlla dove vai, con chi sei, cosa fai, come ti vesti, chi chiami... Devono smetterla di trattarci come se fossero i nostri padroni! Io non sono per niente gelosa e mi piace avere il mio spazio, vedere i miei amici e non sopporto che il mio partner non abbia il suo spazio e dipenda da me. Non so, cos'altro posso dire di me, beh, forse che sono molto esigente e che forse non ce la farò a trovare il principe azzurro... ma io non perdo la speranza!!

In azione 2 – traccia 05
- Lo speed date è un vero e proprio "social game" ideato per facilitare gli incontri fra single. Lo spirito è quello del gioco e del divertimento e il gioco favorisce veramente la nascita di nuove relazioni. Ma come funzionano gli incontri rapidi dello speed date? Sentiamo la nostra amica Fabiana.
- Abbiamo a disposizione 200 secondi per intavolare una conversazione con una persona sconosciuta: fargli delle domande e dare delle risposte.
- E quali sono le domande più frequenti?
- Non so, quello che ti piace o non ti piace, il lavoro, i tuoi interessi.
- E una domanda sbagliata? Una domanda che non ti possono fare?
- Non mi piace per niente che mi chiedano l'età!
- Un uomo si siede davanti a te. Cosa guardi nei primi 30 secondi?
- Gli occhi!
- Grazie Fabiana. Poco più di tre minuti per scoprire se si hanno cose in comune con la persona che ci sta davanti. Secondo gli psicologi, comunque, possono bastare anche meno di 8 secondi per capire se siamo di fronte all'anima gemella. In caso negativo i partecipanti avranno perso solo pochi minuti e non un'intera serata con una persona rivelatasi invece non interessante.

UNITÀ 2 SÌ, VIAGGIARE

Primo contatto B – traccia 06
1. Se vuoi fare una bella vacanza per godere della natura e del mare, ti consiglio Stromboli. Ci sono stata quest'estate e mi è proprio piaciuto. Si possono fare delle bellissime escursioni sul vulcano e poi ci sono delle spiagge paradisiache.
2. Per trovare spiagge da sogno non è necessario andare lontano e spendere tanti soldi per viaggi lunghi. Io in Sardegna ci vado quasi tutti gli anni e sono sempre contentissimo. L'ultima volta sono stato a Chia, in provincia di Cagliari, ci sono delle spiagge con delle dune spettacolari... sembra di stare nel deserto!
3. Per il ponte del 25 aprile e del Primo maggio abbiamo fatto proprio un bel giro nel Delta del Po, ve lo consiglio, si possono fare tantissime attività differenti: navigare per i canali, fare dei bellissimi giri in bici o a cavallo, attività di pesca e birdwatching... e poi si mangia benissimo!
3. Roma mi sorprende ogni volta che ci vado! Durante le ultime vacanze di Pasqua ho scoperto una Roma nuova, all'avanguardia. Ho visitato il MAXXI, il Museo nazionale delle arti del XXI secolo... il tempio della creatività contemporanea.
4. Guarda a me la montagna piace sempre, anche d'estate. Infatti a luglio sono stato a Livigno, sulle Alpi orientali. Ho fatto delle arrampicate fantastiche e poi trekking e anche parapendio. Una meraviglia!

Testi e contesti 2B – traccia 07
Allora... nel mio bagaglio non può assolutamente mancare un libro, anzi meglio due! Poi mi porto sempre delle scarpe da ginnastica e anche delle scarpe un po' eleganti, magari con un po' di tacco. Ah e la mia macchina fotografica! E ultimamente metto in valigia anche un costume, non si sa mai...

Alla scoperta della lingua 2D – traccia 08
1. Io in viaggio voglio godere di paesaggi esotici senza rinunciare alla comodità. Mi piace coccolarmi!
2. A me piacciono le emozioni forti e voglio conoscere posti lontani. Non è un problema per me il clima estremo, basta portarsi l'attrezzatura adeguata.
3. Viaggiare è conoscere luoghi straordinari. Adoro gli spazi incontaminati in cui la natura è la vera padrona.
4. Mi piace scoprire angolini nascosti e conoscere gli aspetti più caratteristici dei posti che visito. S'imparano tantissime cose!
5. Per me viaggio significa dimenticarmi dello stress della vita di città. Bisogna sempre correre da una parte all'altra e ho proprio bisogno di un ritmo più rilassato per godermi la vacanza.
6. Il viaggio per me non è necessariamente andare lontano, l'importante è conoscere e vedere cose e aspetti nuovi, originali.

Qualcosa in più A – traccia 09
- Pronto?
- Ciao Giulia, sono Ornella, ti disturbo? Hai qualche minuto?
- Ciao Ornella! Sì, sì certo, dimmi pure.
- Ok, senti, sono davanti al computer e sto dando un'occhiata agli alberghi di Lucca.

◆ Ah brava! Hai trovato qualcosa?

● Guarda sì, c'è un albergo in centro a una decina di minuti a piedi dalla stazione che è anche comodo per arrivare al Lucca Comics.

◆ Ah bene! E i prezzi come sono?

● Eh i prezzi sono buoni perché ci sono delle offerte, però dobbiamo decidere subito, la disponibilità è limitata.

◆ Ok allora decidiamo! Dimmi pure.

● Dunque... Purtroppo di singola ce n'è una sola, quindi dobbiamo prendere o una matrimoniale o una doppia.

◆ E qual è la differenza?

● I letti. Nella matrimoniale c'è un letto matrimoniale, appunto, e nella doppia due letti singoli. Io sinceramente preferirei la doppia, così dormiamo più comode.

◆ Ah sì, sì anch'io! E quanto costa?

● 210 €. Ovviamente il prezzo è per la camera per le tre notti.

◆ Ahhhh! E la colazione è inclusa, spero...

● Sì, certo. Colazione a buffet inclusa. E poi in camera c'è pure la vasca da bagno con l'idromassaggio.

◆ Accipicchia! Ma è un albergo di lusso!

● Beh è un bell'albergo, sì. Ha pure la zona spa con bagno turco e sauna.

◆ E magari anche la piscina e la palestra!

● No, adesso non esagerare. Però si possono affittare delle biciclette.

◆ Bello! Così magari andiamo in fiera in bici, o facciamo un giro la sera dopo il lavoro.

● Ah guarda, ha anche un ristorantino niente male, sto vedendo le foto adesso... Se una sera siamo troppo stanche per uscire, possiamo cenare tranquille in albergo.

◆ Ottima idea! Senti, c'è la connessione Wi-Fi, no? Perché credo che dovremo lavorare un po' anche in albergo...

● Sì, tranquilla. Guarda, le camere sono ben attrezzate: Wi-Fi, TV a schermo piatto, aria condizionata...

◆ E c'è anche il parcheggio?

● Ma se andiamo in treno! Sì, comunque c'è.

◆ Ah già è vero, che sciocca! E senti, giusto per curiosità, la matrimoniale quanto costa?

● 190 €, con cancellazione gratuita. Mentre per la doppia non c'è questa opzione.

◆ Ah. Beh, ma tanto ci dobbiamo andare per forza al Lucca Comics! Senti, dai, la differenza non è tanta... io voto per l'idromassaggio, ce lo meritiamo, no?

● Eh eh certo! Ci meritiamo il relax dopo il lavoro!

UNITÀ 3 IL DESIGN DELLE IDEE

Primo contatto C – traccia 11

1. ◆ Ma guarda che carino!
   ● Cos'è?
   ◆ Un cavatappi!
   ● Ma dai! Ma che originale, un pappagallo come cavatappi!
   ◆ Sì, io non ci avrei pensato. Mi piace anche l'idea del metallo colorato.

2. Carina l'idea di appendere una scultura in metallo alla parete!
   ● Macché, non è una scultura! Non vedi che è un orologio!
   ◆ Ah sì è vero, ha le lancette!

3. ◆ Senti, dove tieni lo zucchero? Il caffè è un po' amaro...
   ● Lì, guarda, nella zuccheriera.
   ◆ Mmmm non la vedo...
   ● È quella arancione, di plastica, che sembra un cinesino.

4. ◆ Ti ho portato un regalo per le tue piante.
   ● Cos'è...? Bello! Quest'annaffiatoio è proprio elegante!
   ◆ E resistente. Vedi? La plastica è bella dura.

5. – Secondo me gli oggetti di design sono poco pratici...
   ● Non è vero. Guarda questo cestino, ad esempio. È carino e utile. E poi la plastica si pulisce bene.

6. ◆ Se mi dai un cavatappi, apro il vino.
   ● Tieni, ecco qui.
   ◆ Ma guarda! Una ragazza! Che idea simpatica!

7. ◆ Carina questa zuccheriera di vetro!
   ● Visto? L'ho comprato in quel negozio di design che hanno aperto da poco.

Testi e contesti 2C – traccia 12

In una società sempre più caotica, fredda, frenetica, virtuale e superficiale, ritorniamo ai valori importanti della vita, alle sensazioni vere, ai sentimenti profondi, al gusto per le piccole cose, ai sapori di sempre. Lasciamoci avvolgere da un mondo più intimo, caldo, fatto di profumi e carezze. Assaggiamo ogni istante il piacere delle cose buone e ben fatte.

Alla scoperta della lingua 1C – traccia 13

● Questo è un oggetto che ha la forma allungata.

◆ Ma quanto lunga è?

● Ha 10 cm.

◆ Ma di che cosa è fatto?

● Plastica o può essere anche di vetro.

◆ Ma... di che colore è?

● Bianco...

■ ...e arancione.

● E c'è un pulsante e alla fine c'è un pezzo di metallo. E quando... Eh, mi devi chiedere a cosa serve il pulsante.

◆ A cosa serve il pulsante?

● Schiacci e fa vedere le... i numeri dell'influenza.

◆ Aaahh... eeeh...

● Devi indovinare cos'è.

◆ Eh dunque schiacci, ma a cosa serve schiacciare quel bottone? Perché lo schiacci?

● Alzi il braccio e lo metti sotto il braccio. Quando sei ammalata.

◆ Ah ma allora è il termometro?

Alla scoperta della lingua 2A – traccia 14

◆ Carlo, dove tieni il cavatappi? Vorrei aprire il vino...

● Nel primo cassetto.

◆ Mmmm non lo vedo...

■ Ma come fai a non vederlo? È questo coso enorme!

◆ Ah eccolo! Beh sì, effettivamente sembra un po' ingombrante... però è carino dai!

■ Carino?? Secondo me è brutto.

● Funziona benissimo! E poi è facilissimo da usare.

■ Mah, non so... tutta questa plastica...

● Ma no, c'è anche un po' di metallo.

◆ Comunque a te piacciono gli oggetti originali, eh Carlo? Giulia, guarda questo apribottiglie.

■ Ah ah ma che simpatico, uno squalo! Questo sì che è bello! Non il cavatappi...

◆ Sì, ma credo che questo sia meno pratico...

● Siete due criticone! Ecco, guardate questo: che ne dite?

■ E questo cosa sarebbe?

◆ Sembra l'aggeggio per correggere quando sbagli a scrivere.

● È un pelapatate!

◆ Forte! Mi piace!! Però immagino che sia un po' delicato, secondo me si rompe facilmente.

■ Però dobbiamo riconoscere che Carlo ha gusto, dai! L'appendiabiti dell'ingresso è proprio bello!

◆ Sì, beh, diciamo che fa molta scena. Però ho l'impressione che non ci stiano tanti vestiti... Comunque il premio all'originalità lo darei al portaombrelli.

■ Sì, effettivamente non ne avevo mai visti così... ma secondo me è un po' scomodo...

● Criticone! Dai andiamo a tavola... Laura, prendi lo spremiagrumi, per favore. Sta nel secondo cassetto.

◆ Ah questo sì che è bello! Di legno poi... E deve anche funzionare bene, no?

● Benissimo! Lo preferisco a quello tradizionale di plastica.

UNITÀ 4 C'ERA UNA VOLTA *music addicts.*

Testi e contesti 1B – traccia 16

Buongiorno a tutti i melomani all'ascolto e benvenuti alla trasmissione di oggi. Le due opere di cui parleremo appartengono a due epoche e a due compositori diversi ma che hanno alcuni punti in comune. Si tratta di opere i cui autori hanno in qualche modo cambiato il panorama musicale lirico del loro momento e che partono da un'opera letteraria di rilievo. Parleremo di Cavalleria rusticana e di La Traviata. Entrambi i compositori, in gioventù, studiarono al Conservatorio di Milano. Verdi vi si trasferì nel 1832 e Mascagni ci andò nel 1882, e lì condivise la stanza con un altro giovane compositore, Giacomo Puccini. È proprio in Lombardia, sul lago di Como, che uno dei capolavori verdiani vide la luce: La Traviata. Quest'opera, che è la prima delle tre opere che compongono la "trilogia popolare", insieme a Il trovatore e Rigoletto, venne rappresentata al teatro La Fenice di Venezia. Il libretto di quest'opera in tre atti si basa sulla pièce teatrale La dama delle camelie di Alessandro Dumas figlio. La prima rappresentazione però si rivelò un sonoro fiasco. Fu solo l'anno successivo che riscosse il meritato successo in un altro teatro veneziano, il Teatro San Benedetto. L'opera toccava temi anticonvenzionali, addirittura scabrosi per l'epoca, che Verdi, però, un compositore ormai affermato, non ebbe paura di affrontare. A causa della critica della società borghese, La Traviata fu comunque censurata e rimaneggiata. Cavalleria rusticana invece è l'opera prima di Mascagni e nacque un po' per caso. Nel 1888 l'editore milanese Edoardo Sonzogno annunciò un concorso aperto a tutti i giovani che non avevano ancora fatto rappresentare una loro opera. Mascagni lo seppe solo due mesi prima della chiusura del concorso e chiese all'amico Giovanni Targioni-Tozzetti di scrivere il libretto. L'idea di usare la novella popolare di Giovanni Verga come base per l'opera fu quindi di Targioni-Tozzetti. Targioni-Tozzetti e Guido Menasci lavoravano per corrispondenza con Mascagni e gli mandavano i versi su delle cartoline. Il successo dell'opera fu immediato. Dato che Verga era lo scrittore più importante del verismo, Mascagni fu subito etichettato come uno dei principali esponenti del verismo musicale. Ma mentre Verga seguiva intenzionalmente una linea artistica, Mascagni stava semplicemente scrivendo un'opera...

Qualcosa in più B – traccia 17

1. C'era una volta un principe che voleva sposare una principessa, ma doveva essere una principessa vera, una fanciulla di sangue blu. Perciò se ne andò in giro per il mondo cercando la giovinetta dei suoi sogni. Di fanciulle che affermavano di essere vere principesse ne trovò moltissime, ma al momento di sposarsi il principe era assalito da un dubbio: " Sarà proprio una principessa di sangue blu?".
2. C'erano una volta un Re e una Regina che erano disperati perché non avevano figli. Alla fine la Regina rimase incinta, e partorì una bambina. Una strega che non era stata invitata al battesimo si vendicò maledicendo la piccola e dicendo che si sarebbe punta con un ago e sarebbe morta. Il Re e la Regina sequestrarono tutti gli aghi del regno e una fata riuscì a cambiare l'incantesimo: la principessa non sarebbe morta avrebbe semplicemente dormito per cent'anni...
3. C'era una volta un ragazzo di nome Giacomino che, dopo la morte di suo padre, viveva con la mamma in una piccola fattoria. Erano molto poveri e possedevano solo una mucca dalla quale ogni giorno mungevano il latte. Dato che la mucca non dava più latte, la mamma decise di venderla. Giacomino si avviò verso il mercato e per strada trovò uno strano omino che gli disse: "Che bella questa mucca! Dalla a me e prendi questi cinque fagioli in cambio. Piantali con cura e loro faranno la tua fortuna."
4. Una volta, nel cuor dell'inverno, mentre i fiocchi di neve cadevano dal cielo come piume, una regina cuciva, seduta accanto a una finestra aperta, dalla cornice d'ebano. E così, cucendo e alzando gli occhi per guardar la neve, si punse un dito, e caddero nella neve tre gocce di sangue. La regina pensò: Vorrei avere una bambina bianca come la neve, rossa come il sangue e dai capelli neri come l'ebano. Quando nacque la figlioletta, la regina morì e un dopo un anno il re prese un'altra moglie che era bella ma superba e prepotente e aveva specchio magico.
5. C'era una volta una cara ragazzina; solo a vederla le volevan tutti bene, e specialmente la nonna, che non sapeva più cosa regalarle. Una volta le regalò una mantellina con un cappuccetto di velluto rosso, e, poiché le donava tanto, la piccola non volle più portare altro. Un giorno la mamma le disse: "Qui c'è una porzione di torta e una bottiglia di vino, prendili e portali alla nonna che è a letto molto malata. Fa' la brava non allontanarti dal sentiero".

Suoni e lettere A – traccia 18
1. beve / 2. venne / 3. volli / 4. vene / 5. cade / 6. fummo / 7. voli / 8. cadde / 9. fumo / 10. bevve

Suoni e lettere B – traccia 19
1. e 2. Cappuccetto Rosso disse: "Nonnina, ma che occhi grandi hai!" e il lupo rispose: "È per guardarti meglio". "E che orecchie grandi hai!" aggiunse la piccola. "È per sentirti meglio" rispose ancora una volta il lupo. "E che bocca grande hai!", "È per mangiarti meglio!!!" e il lupo saltò fuori dal letto e mangiò Cappuccetto Rosso in un sol boccone!

In azione 2 A – traccia 20
● Buonasera, stasera a Chiacchiere tra le stelle entreremo nel mondo delle fiabe. È qui con noi la dottoressa Simonetta Grazioli, esperta in Letteratura per l'infanzia. Buonasera dottoressa.
◆ Buonasera.
● Dottoressa Grazioli, è vero che negli ultimi anni c'è un po' di resistenza alle fiabe tradizionali dovuta al fatto che non vengono considerate adatte ai nostri tempi?
◆ In effetti, ultimamente si sta manifestando questa tendenza. Le confesso che quando è nata mia figlia Giulia, io stessa mi sono chiesta se era giusto raccontarle queste storie. Uno dei problemi centrali è che le donne hanno sempre un ruolo modesto, mai intellettuale. Sicuramente non è quello che vogliamo trasmettere.
● Beh in effetti Cenerentola e Biancaneve fanno lavori umili che rimandano a un modello di società in cui le faccende domestiche sono cose da donne.
◆ Sicuramente quest'aspetto è presente, il modello della donna che fa i lavori di casa è vecchio, superato però non bisogna dimenticare che queste fiabe trasmettono anche dei valori, come per esempio il bene che vince sul male. E i bambini hanno bisogno di sapere che esiste il male, ovviamente a un livello che possono comprendere.
● In un suo articolo parlava proprio di una ricerca su questo argomento...
◆ Sì, mi sono basata su un'inchiesta fatta a diversi genitori su questo tema. La maggioranza considera le fiabe poco adatte ai bambini, paurose, e ritiene che diano un'immagine sessista e a volte razzista della società.
● Probabilmente bisogna spostare l'attenzione sul piano simbolico, interpretare...
◆ Esatto. Diciamo che queste fiabe sono ormai fuori contesto e che non danno un'immagine reale della società odierna. È per questo che bisogna interpretare i ruoli dei personaggi, capire cosa rappresentino davvero.
● Come la matrigna...
◆ Proprio così. Oggi è assurdo parlare di matrigna cattiva. Ma questo personaggio è portatore di valori negativi che i bambini devono imparare a conoscere.
● Ma i bambini continuano ad amare le fiabe, giusto?
◆ Sì, eccome. Nelle fiabe c'è un aspetto che per i bambini è molto affascinante: la loro genialità viene esaltata. I piccoli protagonisti riescono a gestire situazioni critiche e salvarsi.
● Grazie dottoressa Grazioli.

UNITÀ 5 FACCIAMOCI SENTIRE!

Testi e contesti 1C – traccia 21
● Hai letto questo articolo? Riporta i dati di uno studio fatto per individuare le insicurezze degli italiani. Io un po' mi sono identificata...
◆ Sì, l'ho letto stamattina al bar mentre facevo colazione. Anch'io mi sono sentita identificata, soprattutto nella parte in cui si parla della precarietà lavorativa e delle difficoltà economiche delle famiglie... Non è giusto che le persone debbano avere questi problemi con tutte le tasse che pagano!
● Beh ma tu hai un bel lavoro...
◆ Sì, io ho un bel lavoro però mio marito ha un contratto a tempo determinato e ho paura che rimanga senza lavoro tra qualche mese. E ora con uno stipendio solo si fa fatica a sbarcare il lunario!
● Non lo dire a me che ho anche un figlio! Io e il mio compagno lavoriamo tutti e due, grazie al cielo, ma non arriviamo a fine mese tranquilli e sereni. Di risparmiare qualcosa poi non se ne parla proprio. È proprio ora che le cose cambino!
◆ E poi per noi donne c'è anche il problema della sicurezza... anzi, dell'insicurezza! Non è logico che nel XXI secolo una donna non si possa sentire al sicuro se va in giro da sola! Ti sembra possibile che abbiano scippato una mia amica sul portone di casa sua mentre prendeva le chiavi per aprire??? E meno male che viviamo in una città piccola e tranquilla!
● Io ci penso spesso! E adesso che ho un figlio mi sento ancora più

preoccupata... Non è giusto che le cose vadano così!

◆ E perché, scusa, vogliamo parlare dell'inquinamento? Noi per fortuna non abbiamo grossi problemi, ma mia sorella, che vive a Milano, mi dice che lì è un disastro...

● Mammamia che bel quadretto stiamo dipingendo! A volte penso che sia meglio non pensarci tanto...

Alla scoperta della lingua 1 A – traccia 22

1. Seicento ragazzi in marcia contro "i soldi alla scuola privata e i tagli a quella pubblica". A Milano gli studenti hanno protestato contro la politica della Giunta regionale, che secondo loro "continua a sostenere l'istruzione privata invece di aiutare la scuola di tutti". La manifestazione è stata organizzata lunedì mattina proprio per disturbare la seduta del Consiglio regionale, riunito per approvare il bilancio. Il corteo degli studenti è partito alle dieci da largo Cairoli con un primo gesto scenografico: la fontana di piazza Castello è stata imbrattata con della vernice rossa, per simboleggiare "il dissanguamento della scuola pubblica".

2. I tassisti in rivolta paralizzano le principali città italiane. Lo sciopero nazionale non autorizzato delle auto bianche contro la liberalizzazione delle licenze al vaglio del Governo ha creato importanti disagi a Roma. Il Governo non ha confermato niente ma i tassisti sperano che la liberalizzazione non diventi una realtà. Comunque dopo i blocchi di giovedì, la protesta spontanea dei tassisti è continuata con un sit in davanti a Palazzo Chigi, dove il governo avviava l'esame del decreto.

3. Migliaia di persone a Venezia per partecipare alla manifestazione per chiedere che venga garantito il diritto ad avere ospedali puliti. Sono pazienti, familiari, infermieri, medici, operatori socio-sanitari, tutti con palloncini e striscioni: dalla stazione di Santa Lucia si sono portati lungo il ponte della Calatrava, attraverso il Ponte degli Scalzi per poi ricongiungersi nel piazzale della stazione. La manifestazione di oggi, così partecipata, dimostra come la gestione dei servizi di pulizia sia motivo di preoccupazione di tutti i cittadini ma la Regione sembra disposta a negoziare.

Alla scoperta della lingua 2 A – traccia 23

● L'immigrazione in Italia è sempre stato un tema di grande rilevanza. Gli extracomunitari che arrivano nel nostro paese sono tutti in cerca di lavoro, o comunque di condizioni di vita dignitose, ma purtroppo solo un piccola parte di loro vede realizzato il proprio obiettivo. È ospite di Italia Oggi Patricia Sanchez, peruviana, che ci parlerà della sua esperienza come immigrata e ci darà il suo punto di vista. Buongiorno Patricia, come si trova in Italia?

◆ Buongiorno, beh io adesso sto bene ma non è stato facile, soprattutto all'inizio. Io ho avuto fortuna, perché mi sono sposata con un italiano e questo mi ha aiutata a integrarmi nella società. Ma, in generale, per un extracomunitario le cose non sono per niente facili. Ho degli amici nigeriani che hanno avuto e hanno veri problemi per sopravvivere.

● Lei pensa che gli italiani siano razzisti?

◆ Io credo di no. Però ho notato degli atteggiamenti un po' strani... Alla maggioranza delle persone, anche se non si considera razzista, non piace che la gente di altri paesi venga qui e possa diventare suo vicino di casa. Questo veramente non lo capisco... Gli italiani sono emigrati in altri paesi in cerca di lavoro, e ancora oggi molti italiani vanno via dall'Italia... Non capisco perché la gente abbia paura delle culture che non conosce. Io ho due bambini e penso che per loro sia un grande ricchezza vivere in una famiglia con due culture. Comunque qui in Italia ci sono tante persone aperte e disponibili.

● In particolare per il lavoro è dura?

◆ Beh adesso non c'è lavoro per nessuno, viviamo una situazione molto critica. Io non posso lamentarmi perché ho sempre lavorato. Comunque non è vero che noi immigranti veniamo a rubare il lavoro degli italiani. Ci sono lavori che gli italiani non vogliono fare e li facciamo noi.

● E per acquisire la cittadinanza italiana?

◆ Beh io ho sposato un italiano, quindi non ho avuto problemi. Ma in altri casi è difficile perché varia a seconda della cittadinanza dello straniero, cioè se sei comunitario, o extracomunitario... Non capisco tanta burocrazia. Potrebbero dare la cittadinanza dopo cinque anni, per esempio, se non hai avuto problemi legali.

● Grazie Patricia. Proseguiamo il programma con...

Suoni e lettere a – traccia 24

disoccupazione / insicurezza / immigrazione / preoccupazione / razzismo / manifestazione / legalizzare / cittadinanza / globalizzazione / spazzatura / organizzare / regolarizzare

Suoni e lettere B – traccia 25

1. liberalizzare / 2. situazione / 3. corruzione / 4. ricchezza / 5. condizione / 6. autorizzare / 7. emergenza / 8. pazzesco

UNITÀ 6 A TAVOLA NON S'INVECCHIA

Testi e contesti 1B – Traccia 26

1. Io sto molto attento quando faccio la spesa: compro sempre prodotti di stagione e poi mi piace che siano della zona. Sì, insomma, i prodotti a km zero di cui ultimamente si parla abbastanza spesso. Credo sia importante comprare con un minimo di coscienza e consapevolezza. Non mi piace mettere in tavola cose di cui non sono sicuro, che non si sa bene cosa siano... oramai mettono prodotti chimici ovunque. E poi, se compri da piccoli produttori di zona, riscopri sapori che oramai si sono persi e fomenti la produzione locale. Mi piace mangiare in maniera rispettosa e consapevole.

2. Io sinceramente non sono così contraria al cibo da asporto, che si mangia per strada. Non è mica tutto cattivo! Secondo me si esagera un po'... Il gelato, per esempio: il gelato si mangia quasi sempre per strada, ma non è un cibo che fa male, e poi fa parte della nostra tradizione. Come la pizza al taglio o la focaccia, del resto, no? O un buon panino o una piadina. Insomma, il cibo che si consuma per strada non è tutto porcheria. E poi ogni tanto, secondo me ci vuole, è sfizioso e divertente.

3. A me non piace perdere troppo tempo per mangiare, preferisco impiegarlo per fare altre cose. L'idea del cibo veloce mi sembra buona, è adatta alla nostra società, che è sempre in continuo movimento e non si ferma mai. E c'è gente a cui non piace cucinare, e che esistano dei posti in cui poter comprare cibi pronti in poco tempo, mi sembra proprio una gran cosa.

Testi e contesti 2B – traccia 27

● Cari radioascoltatori, benvenuti alla puntata di oggi. Meglio la tecnologia o la tradizione nella preparazione del pane? Lo chiederemo a un esperto del settore: Giovanni Gastaldi, panettiere, premiato da Slow Food per il progetto di recupero dei grani antichi. Ed ecco la prima domanda: che differenza c'è tra pane artigianale e pane industriale?

◆ Mah innanzitutto bisogna chiedersi che differenza c'è tra pane buono e pane mediocre. Il pane artigianale è fatto con farine di alta qualità e lieviti naturali, e rispettando i tempi di riposo degli impasti. Per quello industriale invece, visto che deve essere sempre uguale, si ricorre a sostanze che rendono possibile mantenere l'aspetto e il colore.

● Secondo Lei è cambiata la produzione del pane rispetto a una volta?

◆ Moltissimo! Guardi, oggigiorno tutti possono improvvisarsi fornai. Una volta il panettiere doveva saper miscelare le farine, oggi gli impasti vengono preparati nei laboratori.

● Questo però rende la vita più facile al panettiere.

◆ Indubbiamente! Il panettiere ormai non deve più lavorare tutta la notte per fare il pane. Il pane si prepara di giorno e si cuoce fino all'80% del necessario, dopodiché si congela immediatamente. A quel punto si consegna nelle rivendite dove si termina la cottura.

● Un bel cambiamento insomma... Ma è cambiato anche il consumatore?

◆ Sì, molto. In primo luogo solo poche persone vanno a comprare il pane la mattina. Spesso la gente va in panetteria durante la pausa pranzo o di pomeriggio e poi compra con gli occhi. Il consumatore oggi preferisce pani gonfi, soffici e friabili. Un tempo la gente voleva pane croccante e molto cotto. Oggi il pane piace più dolce, mentre quello fatto come una volta, con il lievito madre, è più acidulo e aveva un sapore più deciso.

Qualcosa in più – traccia 28

● Cosa fai?

◆ Cosa faccio? È no, cosa facciamo bella mia perché adesso mi aiuterai!

● A fare cosa?

◆ A preparare una bella e soprattutto buona crostata di visciole.

● Buona! Ma io volevo leggere...
◆ No leggi dopo dai, te la vuoi mangiare la crostata di visciole dopo?
● Certo!
◆ E allora adesso mi aiuti dai, forza, che volevo organizzare un po' tutti gli oggetti che ci servono per, per prepararla.
● Va bene, dai, ehm prima di tutto direi che ti serve il mattarello no?
◆ Sì sì, ci vuole il mattarello poi... ci vogliono un recipiente e la frusta così sbattiamo bene le uova con gli ingredienti.
● No dai, prendiamo il mixer così facciamo prima!
◆ Brava brava, si hai ragione, hai ragione è vero. Poi che altro ci... cos'altro ci occorre?
● Io penso che ci occorrerà anche una spatola che dici?
◆ La spatola sì, e poi vabbé la tortiera ovviamente perché così poi... per, per infornarla. Va bene, ok, cominciamo?
● Sì certo dai, al lavoro!

In azione 1A – traccia 30
1. Nel 1926, quando i nonni di Antonio Santini inaugurarono il Pescatore, si trattava di un piccolo ristorante semplice e famigliare. Oggi, invece, è uno dei più famosi ristoranti italiani. Tra Cremona e Mantova nella riserva naturale del parco dell'Oglio, i membri della famiglia si dividono i compiti. Ai fornelli, Nadia e Giovanni elaborano una cucina moderna e di ricerca, ma anche ricette tramandate da tre generazioni. In sala, Antonio, Alberto e Valentina creano un'atmosfera calorosa e stappano le loro migliori bottiglie di vino. Antonio e Nadia Santini hanno raggiunto i vertici della gastronomia internazionale con una gestione tutta familiare. Nadia Santini è stata la prima donna italiana ad essere premiata con tre stelle Michelin, che sostiene di essere legata sentimentalmente a tutti i piatti che ha preparato. La chef è anche convinta che la cucina, rispettosa del proprio passato, piaccia a tutti. Il suo desiderio è quello di opporsi al tempo, alla sua dispersione: per salvare il gusto, non si deve tradire. Tutta la sfida si risolve nel presentare il sapore che si conosce in modo nuovo e invitante.
2. La cucina di Cesare Marretti coinvolge i cinque sensi, stupisce e comunica, creando un'unione perfetta di forme, colori e sapori. Cesare non è solo uno chef, è un artista, un designer, un innovatore che vuole insegnare ad avere un approccio diverso rispetto a ciò che si mangia: il cibo non è solo qualcosa da mangiare ma è cultura, bellezza, eros e linfa vitale. Tra gli ingredienti che Cesare predilige c'è senza dubbio il cioccolato, che per lui è un elemento da plasmare e impiegare come mezzo di comunicazione artistica.

In azione 2B – traccia 31
1. Mettete in un recipiente le uova, un pizzico di sale, la panna e il grana e fate cuocere per 15 minuti in forno a 180 gradi. Pulite gli asparagi, tagliateli a tocchetti e saltateli in padella con un filo d'olio extravergine per qualche minuto. Intanto lavate i ravanelli e tagliateli a fette sottili. Estraete il flan dal forno e unite gli asparagi e i ravanelli.
2. Mettete in una padella il burro e lasciate soffriggere, aggiungete le pesche frullate, il rosmarino e il passito. Quindi salate e pepate. Fate cuocere per circa 4 minuti finché si sarà formata una salsa di media consistenza. A questo punto unite le fette di pesca. Continuate la cottura per qualche minuto a fuoco bassissimo. Intanto ungete una padella con un po' di burro e, quando sarà molto caldo, mettete il foie gras tagliato a fette alte 1,5 cm.; attendete che si formi la crosta da entrambe le parti, girando e rigirando le fette. A questo punto unite la salsa. Servite con qualche goccia di aceto balsamico.

PROVE UFFICIALI – COMPRENSIONE ORALE

Esercizio 1 – traccia 32
Anticamente le fiabe erano racconti che venivano tramandati oralmente e che solo in un secondo momento furono strascritti. I personaggi che generalmente compaiono nelle fiabe sono orchi, streghe, maghi, fate, folletti, gnomi e altri personaggi fantastici. Da uno studio comparato si può vedere come alcuni personaggi e alcune situazioni siano simili tra loro, sia nelle fiabe europee sia in quelle orientali. E che esistono molte versioni di ogni fiaba. Cappuccetto rosso per esempio non sempre viene salvata dal cacciatore e non sempre viene divorata dal lupo. Cenerentola in alcune versione è mite, buona, umile, in altre è coraggiosa e altruista. Con il tempo si sentì il bisogno di raccogliere in forma scritta i vari racconti orali che si narravano. La più antica raccolta di fiabe è quella araba delle Mille e una notte: a un primo nucleo di fiabe indiane, che risalgono al 12º secolo, se ne aggiunsero poi altre persiane ed egiziane. Soltanto nel Settecento furono tradotte in Occidente, prima in Francia e poi in altri paesi. In Europa, tra i primi che raccolsero fiabe troviamo Charles Perrault, che alla fine del Seicento scrisse I racconti di mamma l'Oca. L'opera contiene fiabe indimenticabili come Il gatto con gli stivali, La bella addormentata, Cenerentola e Cappuccetto rosso. Ma è nell'Ottocento si cominciarono a raccogliere sistematicamente le fiabe. La raccolta più importante è senza dubbio quella dei fratelli Grimm. Si trattava di una raccolta di duecento fiabe in cui comparivano Biancaneve, Hansel e Gretel e Pollicino. In Danimarca, nella prima metà dell'Ottocento, Hans Christian Andersen raccolse, trascrisse e arricchì con la sua fantasia molte fiabe popolari. In Italia, la più grande raccolta fu quella di Giambattista Basile che, tra il 1634 e il 1636, scrisse Il Pentamerone che raccoglieva ben cinquanta fiabe in dialetto napoletano. Nel 1954 lo scrittore Italo Calvino pubblicò una raccolta di Fiabe italiane, trascritte in italiano dai dialetti di tutte le regioni.

Esercizio 2 – traccia 33
1. ● Ho letto che a Venezia sono tornati i fenicotteri...
   ◆ Ah sì, hanno anche fatto un servizio al telegiornale. Sembra che siano tornati perché hanno ricostruito l'habitat naturale adatto a loro.
   ● Beh anche perché stanno tenendo sotto controllo il livello d'inquinamento.
   ◆ E come fanno?
   ● Penso che abbiano promosso dei progetti per ridurre l'impatto ambientale del porto.
   ◆ Mi sembra una buona iniziativa. Però bisogna anche che risolvano il problema del passaggio delle navi da crociera in laguna. Che è proprio una vergona.
2. ● Ormai non siamo più solo noi studenti e noi giovani a opporci alla politica che sta attuando il Governo! Credo che le manifestazioni che in queste settimane stanno riempiendo le piazze ne siano un esempio chiaro.
   ◆ È bene che ci siano questi confronti. Ritengo che sia giusto che non siamo solo noi studenti a manifestarci e ad occupare scuole e università.
   ● Hai ragione! Sono totalmente d'accordo con te. Ora è necessario che anche altri gruppi si uniscano a noi! Operai, impiegati! L'istruzione è importante per tutti!
3. ● Ho sentito che il parco del centro è di nuovo degradato!
   ◆ Un'altra volta? Ma questo succede perché è tutto lasciato in mano al volontariato. È giusto che siano i cittadini ad occuparsi degli spazi verdi ma questo non significa che il Comune e le istituzioni se ne freghino e non ci pensino mai!
   ● Sono d'accordo con te. E quando mai si è visto in altri paesi che lo spazio pubblico, i parchi pubblici sono trattati come se fossero giardini privati.
   ◆ Beh come altre aree verdi del territorio, se viene meno l'intervento dei residenti, si passa al totale abbandono e queste zone diventano invivibili. Bisogna che il Comune faccia assolutamente qualcosa!
4. ● Sai che con l'Ente Nazionale Protezione Animali ho adottato un gattino a distanza?
   ◆ Davvero? Che bello! E sono molti gli animali che si possono adottare a distanza?
   ● Guarda, i gatti randagi molto spesso vengono riportati nella colonia in cui vivevano prima, però altri rimangono nel gattile. Ultimamente le adozioni sono in aumento, ma sono ancora poche...
   ◆ Poverini! Ma almeno lì sono curati e accuditi, no?
   ● Sì, sì, ci sono i veterinari e i volontari che se ne prendono cura.
   ◆ Beh sarebbe bello che trovassero una famiglia.

Esercizio 3 – traccia 34
1. Adesso stendete l'impasto per la pizza con il mattarello. Ricordatevi di aggiungere un po' di farina perché l'impasto non si attacchi al mattarello.
2. Sbattete i tuorli delle uova con lo zucchero fino ad ottenere un composto schiumoso. Potete usare la frusta a mano o quella elettrica.
3. Coprite il riso con il brodo e mescolate con frequenza.
4. A questo punto aggiungete gli asparagi alla pancetta e fate cuocere per 10 minuti.

UNITÀ 7 IL MONDO CHE VORREI

Primo contatto B – traccia 35
◆ Ma perché non metti il coperchio sulle pentole?
● Mah, non ci avevo pensato...
◆ L'acque bolle molto prima e si risparmiano gas ed elettricità.
● Va bene...
◆ Un'altra cosa a cui dovremmo stare più attenti è spegnere gli elettrodomestici quando non li usiamo.
● Ma lo facciamo già.
◆ No, spesso li lasciamo in standby e si consuma energia... Non sembra, ma la casa è uno dei posti in cui si spreca più energia. Prendi le lampadine per esempio.
● Beh è da tempo che usiamo quelle a basso consumo!
◆ Sì, noi sì. Io dicevo in generale.
● Senti, visto che sei così attento, allora potresti usare di meno la macchina e prendere più spesso la bici o andare a piedi.
◆ Hai ragione. E usare le scale al posto dell'ascensore... In fondo sono solo piccoli gesti.

Testi e contesti 1B – traccia 36
◆ Che succede, che hai?
● Mah... ogni volta che sfoglio un giornale o accendo la televisione per vedere le notizie, dopo mi viene il mal umore...
◆ Beh ma non puoi farti condizionare così tanto!
● E invece sì! Il problema è proprio questo, che non siamo abbastanza coinvolti. Se no le cose andrebbero diversamente...
◆ Però è anche vero che ci sono delle cose troppo grandi, per cui non possiamo fare molto.
● Mah, non so...
◆ Una guerra non la possiamo risolvere noi!
● Ma ci sono tanti modi per partecipare. Basterebbe anche solo essere più coscienti e più informati.
◆ Sì, questo è vero. Effettivamente ci sono degli aspetti che non conosciamo solo perché non ci informiamo. Ad esempio, noi viviamo più o meno tranquilli e non ci immaginiamo neanche quante persone, proprio nella nostra città, non arrivano a fine mese...
● Eh già... c'è gente che non mangia come dovrebbe, perché non se lo può permettere...
◆ E poi, purtroppo, ancora oggi esistono persone costrette a lavorare come schiavi. E non solo nei paesi in via di sviluppo. Anche qui!
● Sì, sembra che ti facciano un favore a farti lavorare come un matto... E poi dovremmo anche essere più informati sulla questione delle risorse. Ci dicono quello che vogliono e noi ci crediamo perché siamo ignoranti...

Alla scoperta della lingua 3A – traccia 37
● Ragazzi, domenica sono stata a trovare Maurizio e Gaia.
◆ Ah! E come stanno? È vero che vivono un po' come dei selvaggi?
● Beh dai, adesso non esageriamo!
■ Noi sapevamo che sono andati a vivere in mezzo alla campagna, senza luce, senza acqua...
● Ma no! Queste sono le chiacchiere della gente! Ora vi spiego. Allora, effettivamente vivono in una maniera, mmmm diciamo, molto alternativa.
◆ Senza luce e senza acqua?
● La luce c'è, si insomma l'energia. Perché hanno messo dei pannelli solari.
■ Ah, questo lo dovremmo fare tutti.
● E l'acqua e il riscaldamento?
◆ Ma sei fissato con l'acqua! L'acqua ce l'hanno, però è poca e fredda... Quindi, insomma, si deve usare in maniera responsabile!
■ Acqua fredda?? Oddio io non potrei...
● Beh, la scaldano sul fuoco...
◆ No, io non ce la farei!
● Però la casa è in ordine. Cioè è tutto pulito, solo che sembra di vivere più tipo 60 anni fa... Comunque il posto è stupendo, c'è una pace!
◆ Sì, ma come fanno con il lavoro? Con la spesa... con tutto???
● Beh, per la spesa, una volta al mese vanno al mercato del paese più vicino e poi lavorano la terra e hanno degli animali.
■ Bello però! Sono autosufficienti! Un po' li invidio, sono coraggiosi!
◆ Invidia??? Ma sai che freddo in inverno???

◆ ...accendono il camino, hanno delle stufe...
■ Beh se non hanno problemi di salute... Io sono delicata, mi prendo un raffreddore appena tira un po' di vento!
◆ Senti ma hanno lasciato il loro lavoro, no?
■ Gaia no, continua a distanza. Hanno internet.
◆ Ah beh, allora così è più facile! Almeno non perdi i contatti con il mondo...
■ Avranno anche risparmiato, perché comunque per vivere così è meglio se hai qualcosa da parte.
● Beh certo, con dei buoni risparmi è tutto più facile. Forse ci penserei, perché il posto è proprio bello.
◆ Sì ma in un posto più caldo però!

In azione 1A – traccia 39
● A me non sembra una buona idea perché se tutti gli anziani vivessero insieme non ci sarebbe uno scambio fra generazioni. I ragazzi non vedrebbero persone anziane per le strade e non avrebbero la possibilità di imparare tante cose sul passato...
◆ Sono d'accordo, e poi se volessimo vedere persone anziane dovremmo andare in questi quartieri, è una forma di segregazione, insomma e a me non piace per niente.
■ Sì, neanche a me però avrebbero tutte le comodità a portata di mano. La casa a un solo piano, non ci sarebbero scale, non ci sarebbero gradini né marciapiedi...
◆ Beh, forse non si sentirebbero tanto soli... ma un po' abbandonati dalla famiglia, sì.

UNITÀ 8 ULTIME NOTIZIE

Primo contatto B – traccia 40
Sport - I primi giorni del Mondiale stanno facendo bene alla rosa milanista, quasi tutti i rossoneri convocati dalle rispettive nazionali hanno iniziano con il piede giusto la competizione. Questo potrebbe aumentare la loro quotazione o, in caso di mancata cessione, corroborare l'umore in vista della nuova stagione.
Cronaca - Tre giovani hacker si sono introdotti nel sito web dell'Invalsi e hanno prima sostituito la home page con un'immagine pornografica e poi hanno tentato di acquisire i test preparati per l'esame di maturità. Oggi la Polizia postale, allertata dell'intrusione, ha individuato i tre responsabili, due dei quali minorenni e li ha denunciati.
Economia - Arriva il provvedimento che regola gli incentivi agli impianti a pannelli solari. Questo permetterà un calo del costo dell'energia del 10% a consumatori come imprese artigiane e bar.
Spettacolo - Il prossimo 11 luglio apre la 44ma edizione della rassegna open air per eccellenza. Il festival romagnolo è la più longeva delle manifestazioni dedicate al teatro sperimentale e ai nuovi linguaggi. Il Santarcangelo festival è la vetrina delle esperienze di punta del teatro contemporaneo che per dieci giorni invaderà piazze, strade, luoghi insoliti della cittadina romagnola con un programma, in realtà, non solo dedicato al palcoscenico in senso stretto, ma anche ad altre forme come il cinema e le arti visive.
Esteri - I responsabili degli attacchi degli ultimi giorni in Kenya sono i leader politici locali, spinti da motivazioni etniche. Ad affermarlo, è stato lo stesso presidente keniano in un discorso trasmesso in televisione, smentendo così le rivendicazioni degli estremisti gel gruppo islamico somalo. Senza scendere in dettagli, il presidente keniota ha affermato che la polizia locale aveva informazioni sull'attacco di domenica notte prima che venisse eseguito ma non è comunque entrata in azione. Alcuni ufficiali di polizia sono stati sospesi e verranno perseguiti.
Cultura - Dal 1 luglio parte la rivoluzione di orari e tariffe nei musei. Con sconti solo per giovani e categorie speciali, come per esempio gli insegnanti, e biglietto intero per gli over65 che invece fino ad ora avevano diritto ad entrare gratuitamente. In compenso però arriva una domenica gratis al mese con porte aperte in tutti i musei statali e raddoppiano le Notti al museo che ora si faranno due volte all'anno. Inoltre tutti i venerdì i luoghi di cultura più importanti come gli uffizi, Pompei e il Colosseo rimarranno aperti fino alle 22.
Politica - Slitta alla prossima settimana l'arrivo in Aula della bozza di Riforma del Senato, nata dall'accordo tra PD e Forza Italia. Il nuovo Senato sarà composto da 100 senatori e non più da 320 come avviene adesso e la carica di senatore non sarà più elettiva ma attribuita a 95 persone già elette per incarichi amministrativi locali e a 5 persone

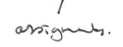

nominate dal presidente della Repubblica (come avviene oggi per i senatori a vita).

Alla scoperta della lingua 3B – traccia 41

1. Buongiorno Signora Lanza, la chiamo dallo studio del dottor Rizzoli, le dobbiamo cambiare l'appuntamento: invece di essere domani sarà mercoledì alla stessa ora. Arrivederci.
2. Ciao Marina, sono il tuo messaggio, al posto tuo io parlerei con Roberto e chiarirei le cose. Ti chiamo più tardi. Baci.
3. Ciao sono Sandro. Per favore, potresti prestarmi il tuo portatile domani? Il mio non funziona bene... È un'urgenza, ho una presentazione importante!
4. Paolo, sono la mamma: metti in ordine la tua camera! È un porcile!
5. Ciao Franco, sono Michele. Ti va di andare al mare in moto domenica prossima?
6. Buongiorno, sono la signora D'Agostino. Grazie mille per il regalo, è stata gentilissima! Non doveva disturbarsi così tanto.

Suoni e lettere – traccia 42

Mucche al posto dei giardinieri. L'idea anti crisi arriva dal municipio di Havering, quartiere nell'est di Londra. Secondo quanto riporta l'Evening Standard, questa iniziativa permetterà di risparmiare fino a 3 mila sterline (circa 375 mila euro) in dieci anni, riducendo così i costi per i custodi dei parchi e per l'uso dei trattori tosaerba. Per questo compito è stata scelta una particolare razza bovina, la red poll, originaria delle contee di Suffolk e Norfolk, nota per il suo temperamento molto pacifico e per non avere corna, rendendola così ideale per questo tipo di "lavoro".

In azione 1B – traccia 43

1. Stavamo ritornando da qualche giorno di vacanza e ci siamo fermati all'autogrill di Nure Sud per far benzina. Mia moglie è andata alla toilette. Dopo aver pagato, sono risalito in macchina tutto concentrato sulla strada che dovevo prendere... e sono ripartito. Poi a un certo punto mi sono accorto che mia moglie non c'era e mi sono diretto verso la prima uscita utile, a Caorso per fare inversione di marcia e tornare indietro...
2. È stata un'esperienza orribile, quando sono uscita dalla toilette e non ho più visto più la macchina ho pensato semplicemente che mio marito si fosse spostato per lasciare spazio agli altri automobilisti che dovevano fare benzina, ma quando non ho visto la macchina da nessuna parte ho realizzato di essere stata "abbandonata" in Autogrill e ho immediatamente telefonato a mio marito...
3. Guardi, sono tanti anni che faccio questo mestiere e che lavoro in questo autogrill ma una cosa così non mi era ancora successa. Quando i signori sono arrivati, lui è sceso per fare benzina e la signora è andata alla toilette. Lui poi è entrato in ufficio a pagare e quando è uscito è risalito in macchina ed è ripartito. A quel punto è uscita la signora e quando non ha visto la macchina ha capito che era successo qualcosa e ha telefonato, ma il marito non rispondeva e così abbiamo chiamato insieme la Polstrada...
4. Abbiamo ricevuto una chiamata dall'Autogrill di Nure Sud sull'A21 con cui venivamo avvisati che una signora era stata dimenticata dal marito all'autogrill e che quest'ultimo non rispondeva alle chiamate della moglie. Quindi siamo partiti per andarle a prenderla e riportarla a casa. Quando siamo arrivati all'autogrill però il marito della signora l'ha chiamata. Si era accorto della mancanza della coniuge e non aveva risposto alle chiamate della moglie perché il telefono era nello zaino nel bagagliaio. Così ci siamo messi d'accordo con lui per portare la moglie all'uscita di Caorso, dove ci avrebbe aspettati.

UNITÀ 9 DIAMOCI DENTRO!

Primo contatto C – traccia 44

La rivalità Bartali-Coppi è stata nel secondo dopoguerra uno degli argomenti, sportivi e non, più dibattuti d'Italia. La rivalità, tra due delle prime e più grandi personalità "mitizzate" dello sport italiano, ha riempito per oltre un decennio le cronache sportive e mondane. La foto del passaggio della borraccia d'acqua scattata nel 1952 durante una tappa del Tour de France tra Losanna e Alpe d'Huez è diventata il simbolo della rivalità sportiva cavalleresca, della sfida corretta tra galantuomini e della lealtà che ha caratterizzato negli anni il rapporto tra i due grandi campioni.

Rossi è l'unico pilota nella storia del Motomondiale ad aver vinto il mondiale in quattro classi differenti. Con l'Aprilia Rossi ha ottenuto il suo primo titolo mondiale e con la Honda ha vinto il suo quarto titolo mondiale. Il 2004 è stato l'anno della trasferta in Yamaha e del primo posto al Motomondiale. Nel 2008 si è di nuovo laureato campione del mondo e l'anno successivo ha conquistato il nono titolo iridato. È un motociclista con esperienza infinita che abbina immenso talento a furbizia, ama la sfida costante con se stesso, si rimette sempre in discussione.

Messner è un alpinista, esploratore e scrittore italiano, di madrelingua tedesca. Personaggio circondato da un alone di leggenda, ha saputo esprimere nell'alpinismo l'incredibile capacità dell'uomo a superare i limiti. Le sue imprese si considerano leggendarie e sono il frutto di una lunga e attenta preparazione. Il suo nome è legato a innumerevoli esplorazioni e arrampicate, ma è noto al grande pubblico per essere stato il primo alpinista ad aver scalato tutte le quattordici cime che superano gli 8000 metri sul livello del mare. È stato quindi un grande himalaista, capace di darsi sempre nuovi obiettivi e di comunicarli con grande efficacia anche ad un pubblico di non addetti ai lavori.

Carolina Kostner, soprannominata Caro, è una pattinatrice artistica su ghiaccio. Ha vinto varie medaglie tra cui una medaglia d'argento al Campionato mondiale del 2012, una medaglia di bronzo alle Olimpiadi invernali di Soči 2014 oltre a essere stata per 5 volte campionessa europea (2007, 2008, 2010, 2012, 2013). Ha iniziato a pattinare all'età di 4 anni. In un'intervista ha dichiarato che il pattinaggio artistico è un buon mix per lei visto che la famiglia di suo padre è nel mondo dello sport, mentre quella della madre ha più affinità con le arti. Nonostante il passato della madre, pattinatrice a livello nazionale negli anni settanta, Carolina inizialmente aveva in realtà cominciato a praticare lo sci alpino e a gareggiare nella specialità della discesa libera, come la cugina di suo padre, Isolde Kostner. Per Carolina il pattinaggio era divertimento ma anche tanto impegno e disciplina.

Francesca Schiavone soprannominata la Leonessa per la sua grande forza e tenacia, sarà ricordata per sempre per il match che è durato ben 4 ore e 44 minuti all'Open in Australia nel 2011. Francesca è stata la prima italiana (e il terzo italiano in assoluto, dopo Nicola Pietrangeli e Adriano Panatta) ad aver vinto un torneo del Grande Slam nel singolo. È considerata la più forte giocatrice italiana di sempre, ed è stata la prima e unica tennista italiana a raggiungere il 4° posto nella classifica mondiale.

Testi e contesti 3B – traccia 45

1. Ci sono tanti miti da sfatare quando si parla della palestra, ad esempio non è assolutamente vero che la palestra non è per tutti, che è popolata da tipi che mangiano ogni 3 ore scatolette di tonno, petti di pollo e altri alimenti super-proteici. Le palestre oggi sono un ambiente progettato per ospitare e accogliere persone con diverse esigenze, dal dimagrimento alla semplice ricerca del benessere psicofisico, dagli anziani ai più piccoli. Bisogna soprattutto insistere con i bambini. Nelle scuole si fanno solo due ore di educazione fisica e chi non si sarà preoccupato di fare un po' di sport per conto suo, raggiungerà inevitabilmente l'età adulta senza avere la minima idea di cosa voglia dire esercitare il proprio corpo e degli immensi benefici che l'esercizio costante e ripetuto apporta al nostro benessere psicofisico.
2. "Sono grasso, mi vergogno ad andare in palestra" quante volte ho sentito dire questa frase!" Ma io dico vi vergognate di essere malati nella sala d'aspetto del medico? E allora perché dovreste vergognarvi di andare in palestra per perdere peso? Nessuno riesce a stare in forma senza dedicarsi anche all'esercizio fisico e se vi convincerete finalmente a entrare in una palestra vi accorgerete che la clientela non è composta esclusivamente da Bronzi di Riace. Iniziare un percorso in palestra quando si è visibilmente fuori forma trasmetterà invece l'idea che tenete a voi stessi e che siete capaci di scelte radicali. Sarete oggetto di apprezzamento e non di derisione.
3. Io ogni anno a settembre mi iscrivo regolarmente in palestra, ci vado il primo mese e poi comincio ad annoiarmi e non ci vado più. Però continuo a pagare perché penso "se paghi, ti obblighi ad andare" e invece non è mai così e butto via un sacco di soldi. Mi piacerebbe tanto trovare un'attività fisica coinvolgente, la palestra la trovo noiosa, mi stanco delle macchine, dei pesi, eccetera. Alcune amiche mie che avevano lo stesso problema hanno cominciato a fare danza, alcune danza del ventre, altre salsa o il liscio. Dicono che così l'attività fisica diventa anche un'attività sociale oltre perché poi la sera esci a ballare con i compagni del corso... chissà magari

quest'anno ci provo anch'io...

4. Io ho cominciato ad andare in palestra quando avevo 17 anni perché le ore di ginnastica a scuola erano poche. All'inizio non mi piaceva molto perché preferivo fare sport all'aperto, ma delle mie amiche che già andavano in palestra mi hanno convinta. Gli allenamenti erano divertenti, interessanti. L'istruttore era molto entusiasta e ha creato un clima di gruppo positivo, in cui si respirava aria di collaborazione, fiducia, sostegno e stima reciproca. Anche i miei genitori mi hanno aiutata molto perché, pur essendo molto presenti, non mi hanno mai fatto pressione e non hanno riversato su di me le loro aspettative, cosa che invece e successa ad alcuni miei compagni che poi hanno abbandonato gli allenamenti. Lo sport deve essere gioco e allegria e senza troppe pressioni...

In azione – traccia 47

Fino a 5-6 anni non si parla di attività fisica ma di motricità. È fondamentale educare i piccoli sportivi al movimento, semplicemente facendoli muovere all'aria aperta e assecondandoli nella naturale evoluzione delle loro capacità. Dopo i 5-6 anni si può iniziare a intraprendere attività motorie specifiche. È bene iniziare con più di un'attività sportiva perché è importante abituarli a differenti tipi di movimento. L'ideale sarebbe abbinare sport diversi e cioè attività che stimolano gli arti interiori con attività che coinvolgono gli arti superiori (ad esempio calcio e pallavolo) e anche sport di squadra con sport individuali.

Dai 15 ai 40 anni si può parlare di sport vero e proprio. In realtà vanno bene tutti gli sport, a meno che non ci siano particolari problemi. Almeno 150 minuti di attività moderata alla settimana o 75 minuti di attività intensa. Se il problema è il sovrappeso, si prestano alla perfezione le attività acquatiche, come il fitness in acqua e il nuoto, ovviamente. Per le persone sottopeso è consigliabile un tipo di attività a circuito, non un'attività a forza prolungata come la corsa, ma piuttosto sport all'aria aperta da abbinare alla palestra.

Dai 40 anni va benissimo correre, andare in bici e nuotare. È importantissimo abbinare queste attività al giusto stimolo dei muscoli. Si è visto che il sollevamento pesi aiuta a rafforzare i muscoli, a mantenersi in forza e quindi a restare autonomi. Dopo i 40 anche una partita a calcetto con gli amici può mettere a serio rischio le articolazioni, se non siamo allenati. Va bene giocare a calcio saltuariamente se facciamo con regolarità esercizi di allungamento e rinforzo muscolare. Per i 70/90enni servono certamente ritmi adeguati, ma è assolutamente fondamentale dare uno stimolo neuromotorio. Sono perfetti, quindi i percorsi all'aria aperta, le passeggiate in pianura, il ballo, la pesca, il ping pong e le bocce.

UNITÀ 10 **LA MACCHINA DEL FUTURO**

Testi e contesti 1B - traccia 48

La BBC ha portato a termine uno studio su come sarà il nostro pianeta tra migliaia o milioni di anni. Per quanto riguarda le lingue, per esempio, si sa che si evolvono rapidamente, quindi tra migliaia di anni molte di quelle che conosciamo oggi potrebbero essersi estinte. Forse parleremo idiomi diversi, forse parleremo un mix di quelli esistenti o forse di nuova generazione. Un altro argomento molto discusso oggi è il cosiddetto "effetto serra" e quale sia la responsabilità dell'uomo. La temperatura sale e gli effetti a lungo termine provocheranno lo scioglimento dei ghiacciai tra qualche migliaia di anni. E bisognerà aspettare ventimila anni prima che gli effetti dei disastri di Chernobyl e di Fukushima si esauriscano. Tra cinquantamila anni potrebbero non esistere più i 32 Km che separano le cascate del Niagara dal lago Erie. Si potrebbero infatti consumare a causa dei movimenti geologici, in modo da riportare il Lago Ontario allo stesso livello. Tra 500 mila anni potrebbe verificarsi un impatto con un corpo celeste potenzialmente distruttivo per il nostro pianeta. Il cromosoma Y, tra 5 milioni di anni, potrebbe indebolirsi fino al punto di essere distrutto dall'evoluzione. Potrebbero dunque sparire gli individui di sesso maschile. E Se è vero che i ghiacciai si scioglieranno entro 2 mila anni, tra 10 milioni di anni si sarà sicuramente formato un nuovo oceano, che magari potrà ospitare nuove forme di vita e che potrebbe dividere il continente africano. Tra 240 milioni di anni il nostro Sistema Solare avrà compiuto il suo primo moto di rivoluzione completo intorno alla Via Lattea, la nostra galassia. La Luna a causa dell'accelerazione centrifuga, tra 600 milioni di anni, sarà in una

posizione tale da impedire le eclissi totali di Sole. Tra 1 miliardo di anni la luminosità della Terra sarà aumentata del 10%, portando la sua temperatura media a 47° C, causando così l'evaporazione degli oceani e il confinamento dell'acqua ai soli poli e facendo in questo modo scomparire gli esseri umani. E tra 2 miliardi e 800 milioni di anni la temperatura media allora raggiungerà i 147° C eliminando così ogni forma di vita. Infine, tra cento miliardi di anni le galassie potrebbero "unirsi", contraendo il firmamento. Il processo, molto lungo, potrebbe terminare fra un trilione di anni.

Alla scoperta della lingua 2A - traccia 49

Dai computer parlanti alle macchine che si guidano da sole, sono centinaia le invenzioni tecnologiche viste in film o lette nei libri di fantascienza e diventate realtà. Letteratura e cinema sono sempre stati fonte d'ispirazione per gli scienziati, ma ormai in campo tecnologico non raccontano più un futuro lontano ma il presente. Così ora che il divario fra immaginazione e realtà si è ridotto, gli scienziati vanno direttamente alla fonte per cercare ispirazione, coinvolgendo gli scrittori di fantascienza e invitandoli in azienda. Più le idee sono pazze, meglio è, dice Edward Jung della Intellectual ventures, società che punta moltissimo sulla collaborazione con i creativi. Fra le idee più folli finora avanzate c'è quella di un ascensore per trasportare le persone nello spazio, a cui davvero sta lavorando l'astrofisico Jordin Kare. Un raggio laser che alimenta un cavo lungo un chilometro potrebbe rendere l'idea non così inverosimile. Ci sono scrittori di fantascienza come lo statunitense Greg Bear contesi da aziende del calibro di Google e Microsoft. "La fantascienza è una sorta di mente che sogna la scienza - dice - È suo dovere portare nuove idee nella realtà". Realtà in cui molti oggetti sognati dalla fantascienza sono ormai di uso comune.

In azione 1B - traccia 51

● Avete letto il libro Cosa resta da scoprire dell'astrofisico Giovanni Bignami?

◆ Io ancora no, perché? È interessante?

■ Tantissimo, a me è piaciuto molto.

◆ Di cosa parla esattamente?

● Beh, lui in questo libro parla delle prossime frontiere del progresso umano. Per esempio dice che non dovremo più guidare la macchina perché andremo su automobili che praticamente si guidano da sole.

◆ Allora è tipo Supercar, vi ricordate il telefilm?

● Ah sì! È proprio vero che a volte la scienza si ispira ai libri e ai film di fantascienza! Comunque Bignami dice anche che grazie a dei micro sensori potremmo evitare multe e incidenti. Bella notizia, no?

◆ Questa sì che è una bella notizia, sarà la fine delle stragi del sabato sera! Sarà un enorme passo in avanti per la sicurezza nelle strade!

● Poi, per chi come me ama la carne però non sopporta la violenza sugli animali, Bignami prospetta un bel cambiamento! Sembra che la carne sarà prodotta in laboratorio...

◆ Bleah, che schifo, preferisco mangiare verdura, guarda...

■ A me una cosa che mi è sembrata interessantissima è l'idea dell'energia alternativa in sostituzione all'energia nucleare.

◆ In che senso scusa?

■ Bignami sostiene che esiste una terza strada in alternativa al petrolio e al carbone, cioè la geotermia profonda, in pratica si tratta di andare a prendere il calore sotto la crosta terrestre.

◆ Interessante... E dice qualcosa sui soldi? Avremo ancora bisogno di andare in giro con i contanti?

● Assolutamente no! Lui prevede che avremo un chip sottocutaneo collegato al conto corrente!

◆ Ma dai ragazzi... ma questa è fantascienza pura... ma ci credete davvero?

● Perché no? Lui è un grande dell'astrofisica! Ma sai che si prevede che potremmo fare un backup del nostro cervello? Cioè potremmo praticamente scaricare in una chiavetta i nostri pensieri!

◆ Sì, va beh e allora ditemi che siete diventati completamente tutti matti!

■ Ma no! Magari non sarà proprio così, ma qualcosa di simile.

◆ No, guarda, se mi dite che la gente vivrà più a lungo, metti anche fino a 150 anni o che la maggior parte del lavoro sarà fatto dalla macchina, ci posso credere. Ma il resto...

● Infatti, due delle previsioni del professor Bignami sono proprio queste: più longevità e meno lavoro per l'uomo... Vedi che sei già entrata nello spirito del libro?

Bravissimo! • Corso d'italiano
Libro dello studente • Livello B1

Autori
Marilisa Birello, Albert Vilagrasa;
Ludovica Colussi (*Suoni e lettere, Feste e Giro d'Italia*);
Francesca Coltraro (*Feste e Giro d'Italia*);
Raffaele Magazzino (*Italiani e stereotipi*)
Coordinamento editoriale e revisione didattica
Ludovica Colussi
Redazione
Ludovica Colussi, Francesca Coltraro
Correzione
Laura Tongiani, Raffaele Magazzino, Sara Zucconi
Impaginazione e progetto grafico
Besada+Cukar
Illustrazioni
Martín Tognola

Documentazione
Francesca Coltraro
Registrazioni
Coordinamento: Ludovica Colussi
Studio di registrazione: Blind records
Locutori
Moritz Alber, Fabiana Birello, Francesco Boglioni, Francesca Coltraro, Ludovica Colussi, Margherita e Beatrice Piva, Claudia Zoldan.
Ringraziamenti
Vogliamo ringraziare tutte quelle persone che hanno contribuito alla realizzazione di questo manuale, in particolar modo Oscar García, Luis Luján, Eulàlia Mata e Ainara Munt.

Deposito legale : B 19485-2014
Stampato in UE
4ª ristampa: ottobre 2018